KB088259

Second Edition

Trans-Radial Intervention Manual

경요골동맥 중재시술 매뉴얼

저자 **K-TRI** (경요골동맥 중재시술연구회)

경요골동맥중재시술연구회
KOREAN TRANS-RADIAL INTERVENTION

군자출판사

TRI Manual Second Edition

첫째판 1쇄 인쇄 | 2018년 3월 13일
첫째판 1쇄 발행 | 2018년 3월 23일

지 은 이 K-TRI(경요골동맥 중재시술연구회)
발 행 인 장주연
출 판 기 획 김도성
편집디자인 김지선
표지디자인 김재욱
배 경 삽 화 유다연
발 행 처 군자출판사(주)
　　　　　등록 제 4-139호(1991. 6. 24)
　　　　　본사(10881) **파주출판단지** 경기도 파주시 회동길 338(서패동 474-1)
　　　　　전화(031) 943-1888　　팩스(031) 955-9545
　　　　　홈페이지 | www.koonja.co.kr

ISBN 979-11-5955-290-8

정가 50,000원

집필진

권성욱 인제의대 일산백병원	**윤혁준** 계명의대 동산의료원
권현철 성균관의대 삼성서울병원	**이봉기** 강원대학교병원
김두일 인제의대 해운대백병원	**이성윤** 인제의대 일산백병원
김무현 동아대학교병원	**이승욱** 광주기독병원
김상욱 중앙대학교병원	**이승환** 연세원주의대
	원주세브란스기독병원
김용철 전남대학교병원	**이왕수** 중앙대학교병원
김희열 가톨릭의대 부천성모병원	**임영효** 한양대학교병원
나승운 고려대학교 구로병원	**이재환** 충남대학교병원
박근호 조선대학교병원	**이준원** 연세원주의대
	원주세브란스기독병원
박상호 순천향대학교 천안병원	**이준희** 한림의대 강동성심병원
박세준 울산의대 강릉아산병원	**이진배** 대구가톨릭대학교병원
박현웅 경상대학교병원	**이현종** 부천세종병원
배장호 건양대학교병원	**임영효** 한양대학교병원
송영빈 성균관의대 삼성서울병원	**전국진** 양산부산대학교병원
안영근 전남대학교병원	**조병렬** 강원대학교병원
원호연 중앙대학교병원	**최락경** 메디플렉스 세종병원
유상용 울산의대 강릉아산병원	**최현희** 한림의대 춘천성심병원
윤영진 연세원주의대	
원주세브란스기독병원	**한규록** 한림의대 강동성심병원
윤정한 연세원주의대	
원주세브란스기독병원	**허정호** 고신대학교 복음병원

서 문

　요골동맥을 통한 관상동맥 조영술은 1989년 Dr. Campeau L.에 의해 처음 소개가 된 후 주로 유럽과 일본을 중심으로 발전해 왔으나 요즘에는 아시아, 미국, 캐나다 등 전 세계적으로 빠르게 보급되며 발전하고 있습니다.

　우리나라에는 1991년 김무현 교수, 윤정한 교수 등에 의해 요골동맥을 통한 관상동맥 조영술이 처음 도입 된 이후 10여년 동안 우리나라 병원의 약 30~40% 정도에서 적용을 하고 있었습니다. 그러나 2008년 대한심혈관중재시술학회에 K-TRI Club을 등록하고 본격적으로 요골동맥을 통한 관상동맥 조영술 및 중재술의 교육과 보급을 실시한 결과 현재는 우리나라 병원의 80% 정도가 요골동맥을 통한 관상동맥 조영술과 중재술을 기본적인 접근경로로 선택하게 되었습니다.

　K-TRI Club에서는 2010년 TRI manual 초판을 출간하였으며, 8년이 지난 지금, 요골동맥을 통한 새로운 접근법, 새로운 장비의 소개와 적용, 위험하고 복잡한 병변에 대한 접근과 치료 방법, 합병증 예방법 등에 대하여 총 11개의 장으로 구분하여 기존의 내용을 보완하고 최신 지견을 삽입하여 TRI manual 2판을 출간하게 되었습니다.

　본 책이 심혈관 중재시술을 새로이 시작하거나 좀 더 발전적인 중재시술을 하기를 원하는 후학들에게 많은 도움이 되길 희망합니다. 바쁜 시간에도 불구하고 TRI manual 2판 집필에 기꺼이 참여하여 열과 성을 다해주신 김상욱 편집위원장님과 집필위원들께 깊이 감사드립니다.

경요골동맥 중재시술연구회(K-TRI)

회장 **조병렬**

Contents

Chapter **1** 요골동맥 관동맥 조영술 및 중재술의 과거와 현재   09

Chapter **2** 요골동맥의 해부학   19

Chapter **3** 요골동맥 접근의 준비   53

Chapter **4** 요골동맥 시술 후 혈관 지혈방법   63

Chapter **5** 경요골동맥 중재시술을 위한 카테터의 선택   75

Chapter **6** 요골동맥에서 심장까지 접근이 어려울때 극복하는 방법   95

Chapter 7 경요골동맥 심도자법의 합병증과 그에 대한 처치   119

Chapter 8 고위험 환자에서의 경요골 중재시술 :
좌주간동맥질환, 다혈관 질환 및 심인성쇼크   135

Chapter 9 요골동맥을 통한 복잡병변의 중재시술
(만성폐색병변 분지부 병변, 석회화 병변)   147

Chapter 10 말초동맥시술을 위한 경요골 접근법   159

Chapter 11 요골동맥 접근의 새로운 장비   171

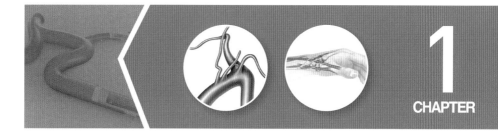

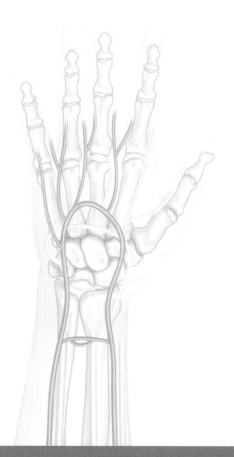

1

CHAPTER

요골동맥 관동맥
조영술 및 중재술의
과거와 현재

The Past and Present of transradial
coronary angiography
and intervention

연세원주의대 원주세브란스기독병원 윤정한
연세원주의대 원주세브란스기독병원 이준원

1 서론

1948년 Radner는 요골동맥(radial artery)을 통한 중심동맥 도관법을 처음으로 기술하였다. 그는 요골동맥을 절개한 후 8~10Fr 카테터를 사용하여 관동맥 조영술을 시도하였다.[1] 1986년 Campeau는 요골동맥이 충분히 크고 척골동맥(ulnar artery)이 만져지는 정상 Allen test 소견의 남자 30명을 대상으로, 5Fr 카테터를 사용하여 요골동맥 접근(Transradial approach, TRA)의 유용성을 보고했다. 이후 Campeau는 1989년 100명의 환자를 대상으로 요골동맥으로 도관 삽입하여 관동맥 조영술을 시행한 결과를 발표하였다.[2] 이 중 10명은 요골동맥을 통한 도관 삽입에 실패했고, 2명은 관동맥 카테터 삽입에 실패하였다. 하지만 합병증은 단 2건만 발생했다. 한명은 상완동맥이 박리되었고, 다른 한명은 요골동맥이 막혔지만, 둘 다 증상은 없었다. 이 연구를 통해 요골동맥 접근이 상완동맥보다 더 효과적이고 안전할 수 있음을 보고하였다. 일본에서는 1992년 Otaki가 최초로 요골동맥으로 관동맥 조영술을 시행한 결과를 보고하였다.[3] 국내에서는 Park이 1995년 11명의 환자를 대상으로 요골동맥을 통한 관동맥 조영술을 시행하였고,[4] 1998년 Yoon은 619명의 환자에서 5Fr 동맥유도관을 삽입 후 4Fr 카테터를 이용하여 관동맥 조영술을 시행한 결과를 보고하였다. 이 연구에서 학습단계(learning curve)를 거친 후의 521예 중에서 513예(98.5%)에서 관동맥 조영술이 성공적으로 시행되었다. 전체 환자들 중 요골동맥 폐쇄 6예(1%), 합병증 없는 요골동맥 천공 1예(0.2%)의 합병증이 발생하여, 요골동맥

을 통한 검사가 안전하고 일상적으로 시행될 수 있음을 보여주었다.[5]

요골동맥을 이용한 관동맥 중재술은 1993년 Kiemeneij와 Laarman이 최초로 보고하였다.[6] 또한 Kiemeneij는 1997년 요골동맥, 상완동맥, 대퇴동맥을 통해 관동맥 중재술을 시행한 ACCESS 연구 결과를 보고하였다. 이 연구에서 관동맥 조영술과 중재술의 성공률과 시술 시간에 있어서 3개의 접근방법 간의 유의한 차이를 보이지 않았다.[7] 국내에서는 Yoon, Cha, Kim 등이 1998년 관동맥 중재술에 대한 결과를 보고하였다.[8-10] 특히 Kim 등은 요골동맥과 대퇴동맥 간의 중재술을 비교하였는데, 요골동맥의 경우에서 더 작은 크기의 유도관을 사용할 수 있었고, 조영제를 더 적게 사용하였으며 시술 성공률에서는 차이를 보이지 않았다.[10]

2 해외 및 국내 요골동맥 사용 현황

요골동맥을 사용한 시술 현황을 살펴보면 2009년 8월부터 2010년 1월 동안 75개국에서 1,107명의 중재시술 심장내과 의사가 설문에 응했으며, 우리나라는 전체 설문 중 0.9%의 비율을 차지했다. 전세계적으로 요골동맥을 통해 75% 이상의 관동맥 조영술과 중재술을 시행하는 비율은 각각 57.2%, 52.5%였고, 일본이 92.6%, 88.2%로 가장 높았다.[11] 미국의 경우 2004~2007년의 기간 동안 National Cardiovascular Data Registry에 등록된 자료에 따르면, 593,094건의 시술 중 요골동맥의 사용 빈도는 1.32%밖에 되지 않았다.[12] 하지만 2007~2012년의 기간을 다시 조사했을 때, 요골동맥 사용 빈도가 1.2%에서 16.1%로 크게 증가했다.[13] 2010년 최초로 전세계적으로 요골동맥 접근 비율을 조사한 결과가 발표되었다. 국내에서도 2014년 2월부터 7월까지 20개 기관, 122명의 시술자를 대상으로 요골동맥을 통한 조영술과 중재술에 대한 전향적 등록 연구가 진행되었다.[14] 전체 6,338명의 환자 중 요골동맥 접근 빈도는 87.6%로 매우 높았고, 이 중 82.4%가 요골동맥으로 중재술을 시행받다. 참여기관의 80% 이상이 요골동맥을 위주로 검사하고 있었기 때문에, 국내 전체 상황을 반영하기에는 제한점이 있지만, 우리나라도 요골동맥을 통한 검사와 시술이 보편적으로 이루어지고 있음을 알 수 있다.

관동맥 중재술 시 요골동맥 및 대퇴동맥 접근법의 비교

사망이나 중대한 출혈과 같은 중요한 임상 사건 발생과 관련하여 요골동맥 접근과 대퇴동맥 접근 간에 차이가 있는지를 알아보고자 한 무작위 배정 연구는 1990년 후반부터 진행되었다. 그 중 가장 최근 진행된 대표적인 연구들로는 RIVAL, RIFLE-STEACS, STEMI RADIAL, MATRIX 연구 등이 있다(표 1). 2011년 발표된 RIVAL 연구는 32개국에서 158개의 병원을 대상으로 7,021명의 환자를 등록한 대규모 연구이다.[15]

표 1. 요골동맥 접근과 대퇴동맥 접근에 대한 주요 비교 연구들

연구	연도	Radial	Femoral	임상진단	추적기간	다기관연구
Mann et al	1998	68	77	ACS	In-hospital	X
TEMPURA	2003	77	72	STEMI	In-hospital	X
RADIAL-AMI	2005	25	25	STEMI	30 days	O
Li et al	2007	184	186	STEMI	In-hospital	X
Yan et al	2008	57	46	STEMI	30 days	X
Gan et al	2009	90	105	STEMI	In-hospital	O
RIVAL	2011	3507	3514	ACS	30 days	O
Wang et al	2012	60	59	STEMI	In-hospital	X
RIFLE-STEACS	2012	500	501	STEMI	30 days	O
STEMI RADIAL	2012	348	359	STEMI	30 days	O
MATRIX	2015	4197	4207	ACS	30 days	O

ACS, acute coronary syndrome; STEMI, ST elevation myocardial infarction.

연구의 일차 평가지표는 30일째 사망, 심근경색, 뇌경색, 관동맥우회술 이외의 주요 출혈 사건을 합친 것이었으며, 양군 간의 유의한 통계적인 차이를 보이지 않았다(p=0.50). 30일째 관동맥우회술 이외의 주요 출혈 사건도 양군 간에 차이가 없었다(p=0.23). 하지만 하위그룹 분석 결과, 요골동맥 시술 건수가 많은 기관과 ST분절 상승 심근경색(STEMI)으로 내원한 경우 요골동맥 접근이 통계적으로 좋은 결과를 보여주었다. 이후 2012년 ST분절 상승 심근경색 환

자들을 대상으로 한 RIFLE-STEACS 연구가 발표되었다.[16] 이 연구는 요골동맥 시술 경험이 많은 4개의 기관에서 진행되었다. 30일째 평균 임상적 이상 사건(NACE) 발생 비율과 주요 심혈관 사건의 발생 비율이 요골동맥과 대퇴동맥간에 13.6%, 21.0% (p=0.003), 11.4%, 7.2% (p=0.029)로 의미있는 통계적 차이를 보여주었고, 출혈 사건도 요골동맥이 의미있게 적었다 (7.8% vs. 12.2%, p=0.026). 또한 요골동맥 접근이 30일째 평균 임상적 이상 사건을 예측하는 강력한 예측인자로 분석되었다. 2015년에 마침내 78개 기관과 8,404명의 환자가 등록된 대규모 연구결과가 발표되었다.[17] RIVAL 연구의 시술자들 간에 요골동맥 접근에 대한 경험 차이가 컸다면, MATRIX 연구는 요골동맥 접근에 대한 경험이 검증된 시술자들만이 연구에 참여하였다는 것이 가장 큰 차이점이라고 할 수 있다(표 2). 이 연구에서 요골동맥 접근은 모든 원인에 의한 사망, 주요 심혈관 사건, 중대한 출혈 사건을 통계적으로 유의하게 줄임으로써, 일차 평가지표를 의미있게 감소시켰다. 그동안 진행되었던 연구들 중 24개의 임상연구들을 토대로 메타분석한 결과를 보면, 요골동맥 접근은 모든 원인에 의한 사망, 주요 심혈관 사건, 중대한 출혈 및 주요 혈관 합병증을 의미있게 줄여주었고, 심근경색과 뇌경색 발생은 대퇴동맥 접근과 차이가 없었다(그림 1).[18]

그림 1. 주요 평가변수에 대해 요골동맥 접근과 대퇴동맥 접근을 메타 분석한 Forest plot.

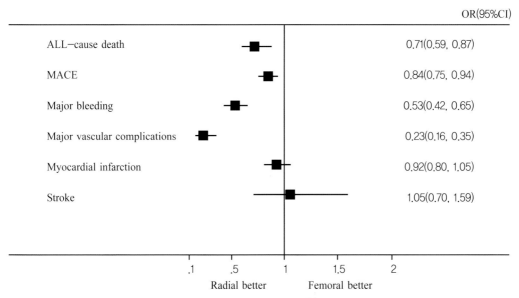

CI = confidence interval; MACE = major adverse cardiovascular event(s); OR = odds ratio.
Adopted and modified from Ferrante G, et al. JACC Cardiovasc Interv 2016;9:1419-34

2011년 발표된 RIVAL 연구는 32개국에서 158개의 병원을 대상으로 7,021명의 환자를 등록한 대규모 연구이다.[15] 연구의 일차 평가지표는 30일째 사망, 심근경색, 뇌경색, 관동맥우회술 이외의 주요 출혈 사건을 합친 것이었으며, 양군 간의 유의한 통계적인 차이를 보이지 않았다 (p=0.50). 30일째 관동맥우회술 이외의 주요 출혈 사건도 양군 간에 차이가 없었다(p=0.23). 하지만 하위그룹 분석 결과, 요골동맥 시술 건수가 많은 기관과 ST분절 상승 심근경색으로 내원한 경우 요골동맥 접근이 통계적으로 좋은 결과를 보여주었다. 이후 2012년 ST분절 상승 심근경색 환자들을 대상으로 한 RIFLE-STEACS 연구가 발표되었다.[16] 이 연구는 요골동맥 시술 경험이 많은 4개의 기관에서 진행되었다. 30일째 평균 임상적 이상 사건 발생 비율과 주요 심혈관 사건의 발생 비율이 요골동맥과 대퇴동맥간에 13.6%, 21.0% (p=0.003), 11.4%, 7.2% (p=0.029)로 의미있는 통계적 차이를 보여주었고, 출혈 사건도 요골동맥이 의미있게 적었다 (7.8% vs. 12.2%, p=0.026). 또한 요골동맥 접근이 30일째 평균 임상적 이상 사건을 예측하는 강력한 예측인자로 분석되었다. 2015년에 마침내 78개 기관과 8404명의 환자가 등록된 대규모 연구결과가 발표되었다.[17] RIVAL 연구의 시술자들 간에 요골동맥 접근에 대한 경험 차이가 컸다면, MATRIX 연구는 요골동맥 접근에 대한 경험이 검증된 시술자들만이 연구에 참여하였다는 것이 가장 큰 차이점이라고 할 수 있다(표 2).

표 2. 대표적인 연구들 간의 차이점

	RIVAL	RIFLE-STEACS	MATRIX
	N=7021	N=1001	N=8404
참여기관	158	4	78
하위연구	RIVAL/OASIS7	No	No
Primary PCI	74%	92%	23%
Fibrinolytics	12%	7.6%	–
GPI IIb/IIIa	1/3	2/3	13%
Shock patients	No	Yes	Yes
Radial experience	Variable	Large	Qualified operators
Crossover	7.6%	9.6%	4.0%
Use of IABP	1%	8%	2.1%

PCI, percutaneous coronary intervention; GPI, glycoprotein inhibitor; IABP, intra-aortic balloon pump.

4 관동맥 중재술 시 요골동맥 접근의 현재 위치

요골동맥 접근은 낮은 출혈 위험도, 입원 기간 단축 및 비용 절감 등을 장점으로 들 수 있다. 무엇보다 시술 직후 바로 거동이 가능하여, 환자들이 보다 편안해 한다. 하지만, 대퇴동맥 접근에 비해 learning curve가 필요하며, 큰 직경의 카테터를 사용하기 어렵고, 방사선에 더 많이 노출될 가능성이 있다.[19,20] 그럼에도 불구하고 사망률과 출혈의 위험을 낮출 수 있다는 명확한 임상적 결과를 근거로, 2015년 ESC 가이드라인에서는 '이중항혈소판 약제와 항응고제 복용이 함께 필요한 ST 분절 비상승 급성관동맥증후군의 경우' 또는 'ST 분절 비상승 급성관동맥증후군 환자에서 관동맥 조영술과 중재술을 시행할 경우' 경험 있는 기관에서 요골동맥 접근로를 사용할 것을 Class IA로 권고하고 있다.[21]

5 결론

요골동맥 접근을 통한 관동맥 조영술과 중재술의 역사는 30년 이상 되었음에도 불구하고, 관동맥 중재술을 시행하던 초기 의사들이 주로 대퇴동맥 접근법으로 교육을 받았기 때문에 요골동맥 접근은 의사와 환자 모두에게 익숙하지 않았다. 하지만, 여러 연구들을 통해 요골동맥 접근이 안전하고 효과적인 경로임이 입증되었고, 심지어 사망률과 출혈의 위험성을 낮추는 중요한 예후 인자로 알려지면서 최근에는 요골동맥 접근에 대한 훈련이 필수적인 요소로 인식되고 있다. 또한 학습을 통한 시술자 경험의 축적 및 기구의 소형화와 새로운 기구들의 발달에 힘입어 요골동맥 접근은 향후 관동맥 조영술과 중재술의 기본 경로로 자리매김할 수 있을 것이다.

참고문헌

1. Radner S. Thoracal aortography by catheterization from the radial artery; preliminary report of a new technique. Acta Radiol 1948;29:178-80.

2. Campeau L. Percutaneous radial artery approach for coronary angiography. Cathet Cardiovasc Diagn 1989;16:3-7.

3. Otaki M. Percutaneous transradial approach for coronary angiography. Cardiology 1992;81:330-3.

4. Park SH, Shin GJ, Lee WH. Percutaneous transradial approach for coronary angiography. Korean Circ J 1995;25:803-10.

5. Yoon J, Lee SH, Lee HH, et al. Usefulness of trans-radial coronary angiography in Wonju. Korean Circulation J 1998;28:1670-6.

6. Kiemeneij F, Laarman GJ. Percutaneous transradial artery approach for coronary stent implantation. Cathet Cardiovasc Diagn 1993;30:173-8.

7. Kiemeneij F, Laarman GJ, Oderkerken D, et al. A randomized comparison of percutaneous transluminal coronary angioplasty by the radial, brachial, and femoral approaches: The ACCESS study. J Am Coll Cardiol 1997;29:1269-75.

8. Yoon J, Lee SH, Kim JY, et al. The experience of trans-radial coronary intervention in Wonju. Korean Circulation J 1998;28:1443-51.

9. Cha KS, Kim MH, Kim YD, et al. Transradial approach for coronary angiography and interventions: practical applicability at a high-volume laboratory and safety in Korean patients. Korean Circulation J 1998;28:1452-64.

10. Kim MH, Cha KS, Kim JS. Transradial interventions in coronary artery disease: comparison with transfemoral interventions. Korean Circulation J 1998;28:1941-52.

11. Rao SV, Ou FS, Wang TY, et al. Trends in the prevalence and outcomes of radial and femoral approaches to percutaneous coronary intervention: a report from the National Cardiovascular Data Registry. JACC Cardiovasc Interv 2008;1:379-86.

12. Feldman DN, Swaminathan RV, Kaltenbach LA, et al. Adoption of radial access and comparison of outcomes to femoral access in percutaneous coronary intervention: an updated report from the national cardiovascular data registry (2007-2012). Circulation 2013;127:2295-306.

13. Bertrand OF, Rao SV, Pancholy S, et al. Transradial approach for coronary angiography and interventions: results of the first international transradial practice survey. JACC Cardiovasc Interv 2010;3:1022-31.

14. Youn YJ, Lee JW, Ahn SG, et al. Current practice of transradial coronary angiography and intervention: results from the Korean Transradial Intervention Prospective Registry. Korean Circ J 2015;45:457-68.

15. Jolly SS, Yusuf S, Caims J, et al. Radial versus femoral access for coronary angiography and intervention in patients with acute coronary syndromes (RIVAL): a randomised, parallel group, multicentre trial. Lancet 2011;377:1409-20.

16. Romagnoli E, Biondi-Zoccai G, Sciahbasi A, et al. Radial versus femoral randomized investigation in ST-segment elevation acute coronary syndrome: the RIFLE-STEACS (Radial Versus Femoral Randomized Investigation in ST-Elevation Acute Coronary Syndrome) study. J Am Coll Cardiol 2012;60:2481-9.

17. Valgimigli M, Gagnor A, Calabró P, et al. Radial versus femoral access in patients with acute coronary syndromes undergoing invasive management: a randomised multicentre trial. Lancet 2015;385:2465-76.

18. Ferrante G, Rao SV, Jüni P, et al. Radial Versus Femoral Access for Coronary Interventions Across the Entire Spectrum of Patients With Coronary Artery Disease: A Meta-Analysis of Randomized Trials. JACC Cardiovasc Interv 2016;9:1419-34.

19. Rao SV, Cohen MG, Kandzari DE, et al. The transradial approach to percutaneous coronary intervention: historical perspective, current concepts, and future directions. J Am Coll Cardiol 2010;55:2187-95.

20. Kim JY, Yoon J. Transradial approach as a default route in coronary artery interventions. Korean Circ J 2011;41:1-8.

21. Roffi M, Patrono C, Collet JP, et al. 2015 ESC Guidelines for the management of acute coronary syndromes in patients presenting without persistent ST-segment elevation: Task Force for the Management of Acute Coronary Syndromes in Patients Presenting without Persistent ST-Segment Elevation of the European Society of Cardiology (ESC). Eur Heart J. 2016;37:267-315.

2
CHAPTER

요골동맥의 해부학

Radial artery anatomy and access

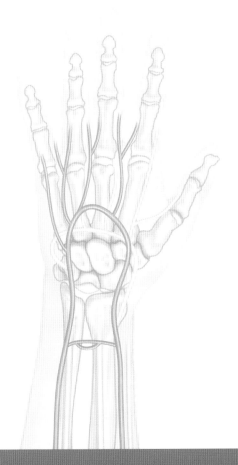

2-1 Chapter

요골동맥의 해부학
Radial artery anatomy and access

경상대학교병원 박현웅
건양대학교병원 배장호
동아대학교병원 김무현

1 요골동맥접근에서의 해부학적 구조

    요골동맥의 해부학적 모양과 변이 등은 요골동맥을 이용한 시술에 있어 시술 시간및 합병증 발생과 연관이 있기 때문에 시술자는 정상 해부학 및 변이에 대해 숙지하고 있어야 한다.

1) 상지동맥의 정상구조[1]

    상지의 동맥혈관은 대동맥 활(aortic arch)에서부터 분지되어 시작한다. 요골동맥(Radial artery)으로 가는 팔의 동맥은 빗장밑동맥(subclavian artery)에서부터 시작하는데, 정상 빗장밑동맥의 시작부위는 오른쪽과 왼쪽이 다르다. 오른쪽은 팔머리동맥(brachiocephalic trunk or innominate artery)부터 시작하여 온목동맥(common carotid artery)과 빗장밑동맥으로 갈라져 시작하게 되고, 왼쪽 빗장밑동맥은 왼쪽 온목동맥 분지후 대동맥 활에서 직접 나와 빗장밑정맥(subclavian vein)의 후방으로 지나 팔의 혈관으로 이어지게 된다. 팔머리동맥 및 빗장밑동맥의 시작은 여러 가지의 변이가 있을 수 있다(그림 1).

    빗장밑동맥은 척추동맥(vertebral artery), 속가슴동맥(internal mammary artery or internal thoracic artery), 갑상목동맥(thyrocervical trunk), 목갈비동맥(costocervical trunk) 및 등쪽어깨동맥(dorsal scapular artery) 다섯 가지 주요가지를 분지한다. 이중 내부흉부동맥은 관상동맥우회술(coronary artery bypass graft surgery, CABG)에서 우회 혈관으로 사용할 수 있다. 빗장밑

동맥이 첫 번째 갈비뼈의 측면가장자리를 지나면 겨드랑이 동맥(axillary artery)이 된다. 겨드랑이 동맥은 겨드랑이 근막(axillary sheath)으로 싸여 작은가슴근(pectoralis minor muscle) 밑을 지나 겨드랑이를 통과하게 된다. 겨드랑이동맥의 중요한 분지는 상급흉부, 흉부외측, 흉부외측견갑(scapula) 아래 및 전방 및 후방상환 회선 동맥(circumflex humeral artery)을 포함한다.

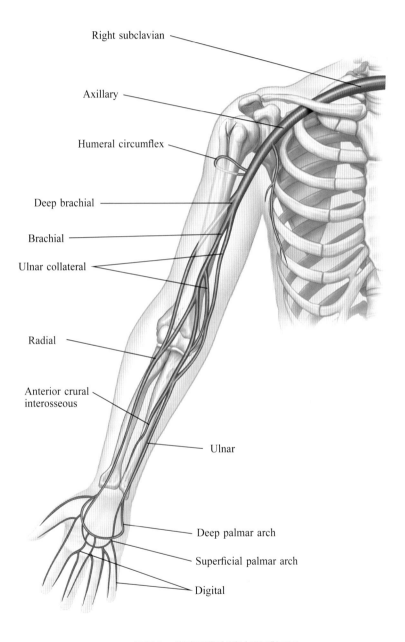

그림 1. 상지동맥의 정상해부학구조

겨드랑이 동맥은 큰원근(teres major muscle)의 경계선을 넘어선 후부터는 위팔동맥(brachial artery)이 된다. 위팔동맥은 팔의 중요한 혈액 공급원이 된다. 위팔동맥은 상완의 내측을 따라 내려가고, 깊은위팔동맥(profunda brachii artery)과 작은 동맥을 분지하여 팔의 여러 근육을 담당하게 된다. 위팔동맥은 팔의 앞쪽에 있는 정중신경(median nerve)의 바로 뒤쪽을 따라서 계속 내려와 팔오금(cubital fossa)에서 요골동맥과 척골동맥(ulnar artery)으로 나뉘어진다.[2]

요골동맥과 척골동맥은 갈라진 이후에 요골되돌이동맥(radial recurrent (collateral) artery)와 척골되돌이동맥(ulnar recurrent(collateral) artery)을 분지하고, 이 혈관들은 위팔동맥으로부터 분지된 혈관과 문합하게 된다. 팔오금에서 갈라진 요골동맥과 척골동맥은 전완을 타고 손으로 내려와 다시 문합하여 얕은손바닥동맥활(superficial palmar arch) 그리고 깊은손바닥동맥활(deep palmar arch)을 형성하게 된다.[3]

2) 손목의 표면 해부학(Surface anatomy of the wrist)

요골동맥은 척골동맥과 갈라진 이후 위팔노근(brachioradialis muscle) 뒤쪽으로 깊이 지나가 손목의 해부학적 snuff box를 지나 내측으로 돌아가 깊은손동맥활을 형성한다. 손목을 굴곡시키면 쉽게 요측손목굽힘근인대(flexor carpi radialis tendon)를 만질 수 있으며, 바로 옆 내측으로 긴손바닥근인대(palmaris longus tendon)가 나란히 위치한다. 손목의 요골동맥의 위치는 요측손목굽힘근인대와 요골의 전방 외측 모서리 사이에 위치하는 홈(groove)을 관통하며 콩알뼈(pisiform bone)의 2~3 cm 위치에 pulse point가 있어 요골동맥을 쉽게 만질 수 있다(그림 2).

요골동맥은 근위부에서는 위팔요골근(brachioradialis muscle)에 둘러싸여 있으나 손목 위 3~5 cm 부근의 원위부에서는 피부로부터 가까이에 위치하고 있어 가장 이상적인 접근 부위 및 천자부위 라고 할 수 있겠다. 또한 신경이 근위부로부터 내려오다 말단부위에서 방향을 바꿔 요골동맥으로부터 멀어져 혈관천자에 따른 신경 손상이 드물고 큰 정맥이 주위에 존재하지 않아 혈관천자후의 부작용으로 생기는 동정맥루의 발생의 위험이 적다.

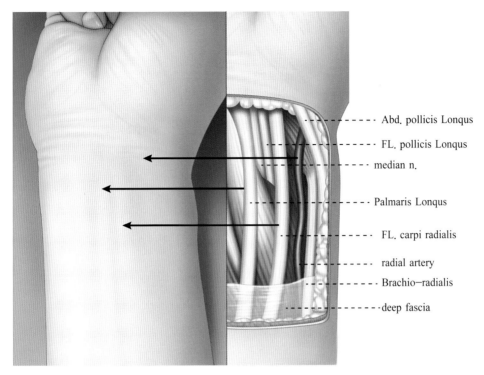

그림 2. 손목의 표면해부학

2 경요골동맥 중재술에 있어서 어려운 해부학적 변이

　상지의 혈관에는 다양한 혈관 변이가 존재한다. 요골동맥접근법의 실패에서 초심자는 대부분 혈관천자의 어려움으로 실패하지만 경험 있는 시술자에서는 요골동맥의 변이에 의한 경우가 천자로 인한 실패보다 더 많다. 팔의 혈관에서 혈관기형, 변이는 요골동맥이 가장 많고, 척골동맥, 위팔동맥, 빗장밑동맥, 팔머리동맥순이다.

　전체 시술환자의 20% 가량이 혈관 이상을 갖고 있으며 가장 흔한 원인으로 요골동맥기시부 이상(abnormal origin of the radial artery) (7.7%), 루프형성(loop) (1.1%), 굴곡(tortuosity) (3.0%), 루소리아쇄골동맥(retroesophageal (lusoria) subclavian artery) (0.4%) 등이 있다. 이런 해부학적 변이는 요골동맥을 이용한 시술시간의 지연이나 혈관 국소합병증의 발생과 관련이 있다. 혈관 변이를 갖고 있어도 경험 많은 센터에서는 루소리아쇄골동맥 (60%)을 제외하고는 성공률이 높은 편이다 (83%~96.7%).[4,5] 흔한 혈관이상과 어려운 해부학적 구조를 표 1에 정리하였다.

표 1. Anatomic Abnormalities[7]

Anatomical Difficulties	Solution
Forearm	
Lateral position of the radial artery on the wrist Hypoplastic radial artery Radial artery remnants Radial artery loops	Change puncture site or access site Guidewire progression under angiographic control Hydrophilic—coated guidewire under angiographic control, 0.014 inch angioplasty guidewires Change access site in case of calcified "un—loopable" loops
Arm	
Brachial artery remnants High origin of the radial artery Brachial artery loops	Guidewire progression under angiographic control Hydrophilic—coated guidewire under angiographic control, 0.014 inch angioplasty guidewires Change access site in case of calcified "un—loopable" loops
Shoulder—Thorax	
Axillary or subclavian artery loops Arteria lusoria (retro—oesophageal right subclavian artery) Brachiocephalic arterial trunk abnormalities Posterior origin Bicarotidian trunks Thoracic aortic rotations	Hydrophilic—coated guidewire under angiographic control; deep inspiration Change access site in case of calcified "un—loopable" loops Guidewire progression under angiographic control; deep inspiration Guidewire progression under angiographic control; deep inspiration; catheters adapted to aortic angulation

표 2. 요골동맥과 대퇴동맥의 해부학적 차이

요골동맥	대퇴동맥
• 말단 요골동맥의 위치는 상대적으로 얕다. • 비만한 사람에서도 쉽게 혈관을 만질 수 있다. • Puncture site에서 요골동맥은 피부와 근막 바로 아래에 놓여져 있다.	• 대퇴동맥은 상대적으로 깊다. • 비만한 사람에서 이상적인 위치를 찾기가 어렵다. • 2/3환자에서 Landmark인 inguinal crease가 정확하지 않다.
천자부위가 관절부위를 포함하지 않는다. • 가장 신뢰성 있는 landmark는 손목 주름으로 부터 2~3cm 위쪽부위이다.	천자부위가 관절부위 근처에 위치한다. • 가장 신뢰성 있는 landmark는 대퇴골두 (femoral head)의 중간, 아래 1/3부위 사이이다.
시술 후 쉽게, 약한 압력으로 압박할 수 있다. • 혈관 뒤쪽 요골로 인해 압박할 때 뒤쪽에서 강하게 받쳐 줄 수 있다.	시술 후 압박은 강하게 해야한다. • 혈관 뒤쪽으로 강하게 고정되어있는 구조물이 없다.
요골동맥은 정중신경 및 주요정맥과 분리되어 있다.	대퇴동맥은 대퇴정맥 및 신경이 바로 근처에 위치해 있다.
척골동맥과 손에서 손바닥궁을 형성해 이중 혈액 공급을 한다.	대퇴동맥이 유일한 혈액공급 동맥이다.

1) 요골동맥의 기시부 이상

가장 흔한 요골동맥 기형으로 상완골의 중간부위에서 요골동맥이 기시한다. 85% 이상의 혈관에서 3 mm 이하의 내경을 갖고 있어 많은 환자에서 5Fr 이하의 카테터를 사용해야 하지만, 요골동맥 시술에 대한 실패율을 높이지는 않고 대부분의 환자에서 성공한다.[6]

2) 혈관의 고리(Radial/brachial/axiallary artery loop)

2% 내외에서 발견되는 혈관 기형이다. 대부분 위팔동맥의 분지부위 및 요골동맥의 근위부 부분에 발생한다. 대부분의 고리 혈관에서 고리의 끝에서 작은 혈관 분지가 나와 요골동맥으로 다시 들어간다. 요골동맥 고리는 시술의 실패율이 높다 (>30 %).

3) 심한 굴곡(Extreme tortuosity)

3% 내외에서 발견되는 혈관기형이다. 혈관이 구불구불하여 경련(spasm)이 잘생기며 이로 인한 시술의 실패율이 높다. 이중 S모양이 31.3%, Ω모양이 31.3%로 가장 많은 빈도를 보였다.

α모양은 11.9%, Z모양은 14.9%였으며 그 외 기타(∩, ∧ 등) 형태는 10.4%에서 관찰된다.

4) 빗장밑동맥 및 팔머리동맥(brachiocephalic trunk or innominate artery)의 변이

흔하게 빗장밑동맥의 굴곡, 협착 등이 있을 수 있다. 일반적으로 분지를 형성하지 않으나 때때로 왼쪽 온목동맥이나 빗장밑동맥등이 분지되는 경우가 있다.

5) 루소리아 쇄골하동맥(retroesophageal (lusoria) subclavian artery)

아주 드문 혈관 기형(0.03%)으로 오른쪽 빗장밑동맥이 왼쪽 빗장밑동맥 시작부위 직하방에서 시작해 중격동의 후방으로 지나간다. 중격동의 후방으로 지나가며 식도 뒤를 지나가 오른쪽 팔로 들어간다.

6) 기타

기타로는 형성부전(0.1%), 동맥경화(1%), 무요골동맥(absence brachial artery) 등의 혈관이상이 발견되고, 이런 혈관에서 20% 내외에서 시술 시 카테터 통과가 어려워 실패하게 된다.

3

요골동맥의 혈관접근에 유리한 해부학적 특징

　피하를 통과하는 요골동맥은 위치가 피부로부터 가까워 혈관접근이 쉽고 시술 후 뼈가 지탱할 수 있기 때문에 지혈을 위한 압박이 비만환자에서도 용이하다. 혈관 접근부위가 관절을 넘어서지 않으므로 시술 후 압박지혈장치를 사용할 때 안정적이고 효과적이다. 또한 손목을 움직이는 데 제한을 받지 않아 신속한 회복을 돕고, 당일 시술(one day PCI)이 가능하다. 요골동맥은 정중 신경 및 팔뚝의 주요정맥등과 분리되어 있어 다른 구조물의 손상을 최소화한다. 마지막으로 손의 척골동맥을 통한 이중 혈액 공급은 요골동맥의 문제로 인한 손부위 허혈 등의 합병증을 막아 준다.

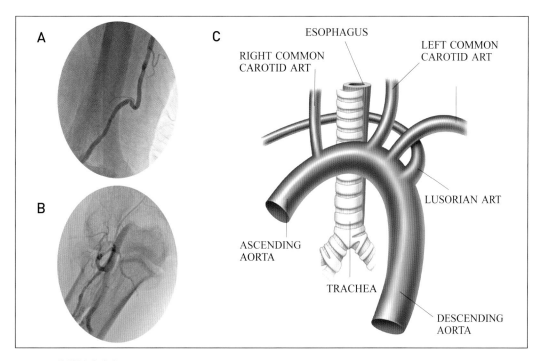

그림 3.　흔한혈관이상

A : Tortous brachial artery
B : Radial artery loop
C : retroesophageal (lusoria) subclavian artery

참고문헌

1. Clemente C. Gray's Anatomy of the Human Body (30th Edition).

2. B Y, H L, Yoon J ea. The Study of Branching Anomaly and Tortuosity of Radial Artery for Trans-Radial Coronary Procedure. Korean circulation journal. 2000;30:82-89.

3. Levin PM, Rich NM, Hutton JE, Jr. Collaternal circulation in arterial injuries. Arch Surg. 1971;102:392-399.

4. Yoo BS, Yoon J, Ko JY, et al. Anatomical consideration of the radial artery for transradial coronary procedures: arterial diameter, branching anomaly and vessel tortuosity. International journal of cardiology. 2005;101:421-427.

5. Valsecchi O, Vassileva A, Musumeci G, et al. Failure of transradial approach during coronary interventions: anatomic considerations. Catheterization and cardiovascular interventions. 2006;67:870-878.

6. Lo TS, Nolan J, Fountzopoulos E, et al. Radial artery anomaly and its influence on transradial coronary procedural outcome. Heart. Mar 2009;95:410-415.

7. TOPOL EJ, TEIRSTEIN PS. Textbook of Interventional Cardiology 2011;6th edition.

8. Zhan D, Zhao Y, Sun J, Ling EA, Yip GW. High origin of radial arteries: a report of two rare cases. Scientific World Journal 2010;10:1999–2002

요골동맥 접근법

Radial artery access

전남대학교병원 김용철
광주기독병원 이승욱
전남대학교병원 안영근

1989년까지는 요골동맥(radial artery)을 이용하는 관동맥 혈관조영술이 흔하지 않았으나 1992년 요골동맥을 통한 최초의 관상동맥 스텐트 삽입이 시행된 이후 요골동맥을 이용하는 관동맥 중재술은 장비와 기술의 발전과 더불어 급속히 늘어나고 있는 추세이다. 요골동맥을 통한 중재술을 시행하는 의사에게 정상적인 요골동맥과 상지(upper exetremity)의 해부 구조를 완벽히 이해하는 것은 기본적인 사항이라 할 수 있다(그림 1). 시술 의사는 과도한 원위부의 천자를 피하기 위해서 요골동맥의 해부 구조에 관한 정확한 지식을 습득해야 함은 물론 해부학적 변이(그림 2)에 대비하여 요골동맥에서 상행 대동맥을 향하는 경로를 정확하게 이해하고 있어야 한다. 척골동맥(ulnar artery)은 척골신경(ulnar nerve)와 아주 가까이 주행하나, 요골동맥은 요골신경(radial nerve) 및 정중신경(median nerve)과 어느 정도 거리를 두고 있어 요골동맥 천자가 척골동맥 천자보다 신경 손상의 가능성이 적다.

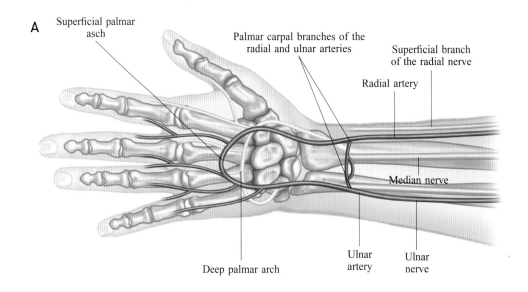

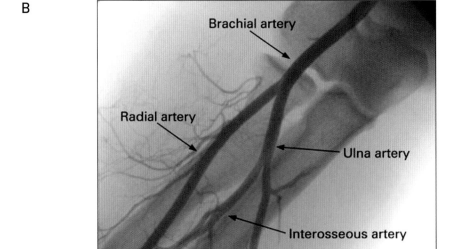

그림 1. A : 정상적인 요골동맥 주변부의 해부 구조
B : 상완동맥(brachial artery) 분지부(bifurcation)의 해부 구조(아래)
(출처: (A) Vascular access and closure in coronary angiography and percutaneous intervention. Byme RA et al. Nat Rev Cardiol. 2013 (B) Radial artery anomaly and its influence on transradial coronary procedural outcome. Lo TS et al. Heart. 2009)

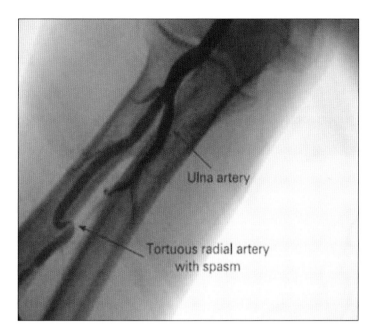

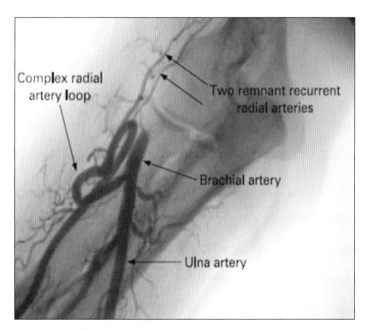

그림 2. 요골동맥의 해부학적 변이.

A : 연축을 동반한 사행성(tortuous)의 요골동맥

B : 요골동맥 루프

(출처: Radial artery anomaly and its influence on transradial coronary procedural outcome. Lo TS et al. Heart. 2009)

요골동맥 접근을 위한 장비의 선택

1) 천자 바늘 선택(puncture needle selection)

요골동맥 접근을 위해 사용할 수 있는 다양한 장비들이 있다. 기본 구성은 바늘(needle), 와이어(wire), 그리고 유도초(sheath)로 되어 있다. 구성요소 각각의 사용법이 많이 다르기 때문에 성공적인 천자를 위해서 시술자는 각각의 구성 요소의 특성에 대해 잘 인지하고 있어야 한다. 요골동맥 천자에 사용하는 바늘은 일겹 강철 바늘(one-piece steel needle)과 이겹용 바늘(two-pieces needle) 두 가지 종류가 있다(그림 3).

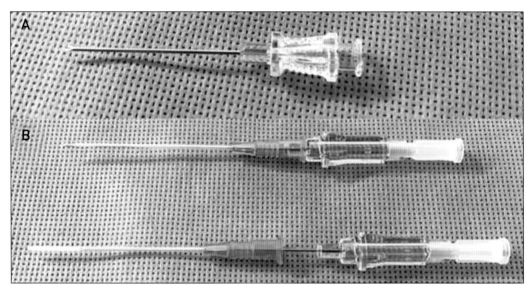

그림 3. A : 일겹 강철 바늘
B : 이겹용 바늘 (사진 출처: 저자)

2) 유도초(sheath)의 선택

동맥 유도관의 크기는 관상동맥 중재술 여부에 따라 좌우된다. 관상동맥 조영술에서는 4Fr 또는 5Fr의 요골동맥 유도초가 흔히 사용된다. 요골동맥을 통한 중재 술에서는 가끔 5Fr과 7Fr이 사용되기도 하지만, 6Fr 요골동맥 유도초가 흔히 사용된다(그림 4). 일부의 숙련된 시술자는 요골동맥 연축에도 불구하고, 시술의 편의를 위해 더 긴(25 cm) 유도초를 선호하기도 한다.

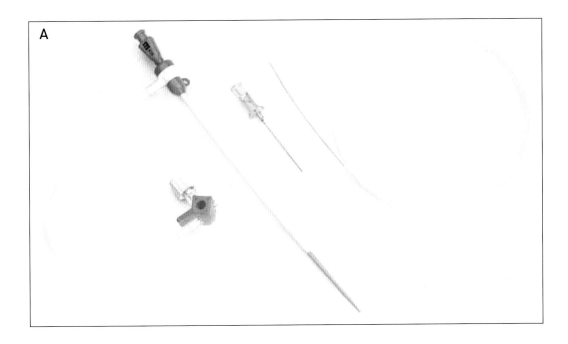

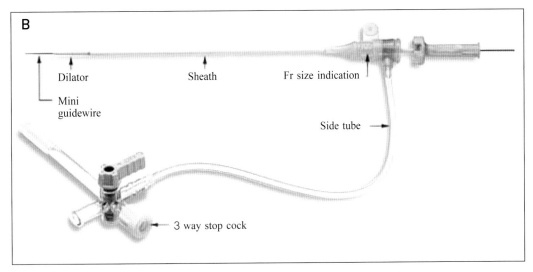

그림 4. A : 요골동맥 유도초. 6Fr 긴 유도초(25 cm)
　　　 B : 6Fr 일반 유도초(10 cm)
　　　 (사진 출처: (A) Merit Medial 홈페이지 (B) Terumo 홈페이지)

요골동맥 천자는 첫 번째 시도에서 성공하는 것이 매우 중요하고 여러 번 천자를 반복할수록 실패 가능성이 높아지기 때문에, 처음 천자에 신중을 기하고 항상 한번의 천자로 마무리 짓는 다는 자세가 중요하다. 천자에 이용되는 바늘은 앞서 설명하였듯이, 일겹 바늘과 이겹용 바늘이 있으며 시술자의 선호에 따라 선택하면 된다.

1) 좌측 및 우측 요골동맥 선택의 장단점

일반적으로 요골동맥을 이용한 관상동맥 조영술은 우측 요골동맥을 통해 시행된다. 이유는 오른쪽 대퇴동맥을 통한 접근과 동일하게 환자의 오른편에서 할 수 있어 시술자가 카테터 등의 조작이 쉽고 편리함을 느끼기 때문이다. 그러나 우측 요골동맥을 통한 접근은 해부학적인 어려움을 가지고 있다. 연속된 2개의 분지가 있는 오른쪽 완두동맥(brachiocephalic artery)에 동맥경화의 진행은 뻣뻣한 혈관으로 인해 카테터의 조작을 어렵게 할 수 있다. 게다가 특히 고령일수록 우측 쇄골하동맥(subclavian artery)의 심한 사행성 빈도가 많아 카테터뿐만 아니라, 가이드와이어 진입 자체가 어려운 경우가 적지 않다(그림 5).

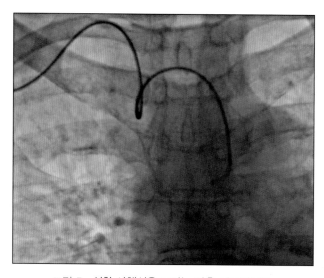

그림 5. 심한 사행성을 보이는 좌측 쇄골하동맥.

이에 반해 왼쪽 요골동맥을 통한 접근은 이론적으로 우측 쇄골하동맥의 사행성을 피할 수 있고, 상행 대동맥(ascending aorta)으로 보다 원활하게 접근할 수 있다. 또한 관상동맥 우회수술(CABG, Coronary Artery Bypass Surgery)이 필요한 경우 시행 되는 좌측 내흉동맥(LIMA, Left Internal Mammary Artery) 조영 시에 좌측 요골동맥으로 접근하는 것이 필수적이어서 좌측 요골동맥 접근이 더 필요하게 된다. 또한 한국 사람은 오른손잡이가 많으므로 좌측 요골동맥을 사용한 경우 시술 후 일상생활이 더 용이하다고 할 수 있다.

2) 천자의 위치

이상적인 천자부위는 손목 주름으로부터 2~3 cm 상방에서 맥박이 가장 잘 촉지 되는 곳이다. 이전에 요골동맥 천자를 시행 받은 환자의 경우는 기존의 천자부위에서 1 cm 상방의 근위부에서 시행하는 것이 좋다.

3) 피부 국소마취

피부 국소마취는 요골동맥의 수축을 예방하므로 천자를 원활하게 하기 위해서 매우 중요하다. 너무 많은 리도카인(lidocaine)을 주입하면 요골동맥의 맥박을 느낄 수 없다는 점을 우려하여 대부분의 시술자는 소량의 리도카인을 투여한다. 하지만 소량의 리도카인 주입은 오히려 천자할 때 통증이 유발될 할 수 있으며, 이로 인해 요골동맥의 수축이 유발되어 천자의 성공률을 낮출 수 있다. 그러므로 충분한 리도카인 주입이 필요하다. 리도카인 주입으로 인한 요골동맥의 압박이 우려된다면, 시술 전에 천자부위에 국소마취 크림인 eutectic mixture of local anesthetic (EMLA) 크림을 도포하여 피부마취 시 환자의 통증을 감소시킬 수 있다. EMLA 크림은 시술 1~3시간 전에 도포하는 것이 좋다.

4) 피부 절개

국소마취 후 천자하기 전에 11번 외과용 메스를 사용하여 3~5 mm 정도 피부 절개를 시행할 있다. 6Fr 이하 크기의 유도초는 일반적으로 피부절개 없이도 진입이 가능하나, 이럴 경우 환자의 통증이 더 문제가 될 수 있고 간혹 유도초의 끝부분이 손상을 받아 혈관벽에 손상을 초래할 수 있으므로, 최소한의 피부 절개는 가능하면 시행하는 것이 추천된다.

5) 천자

① 천자 각도

시술자는 바늘의 열린 부분이 위로 가도록 하고 피부의 면과 바늘이 30~45도의 각도로 진행하는 것이 좋다(그림 6). 각도가 너무 큰 경우에는 유도초가 꺾여 출혈이나 동맥을 손상시킬 수 있고, 각도가 너무 작을 경우에는 바늘이 완전히 동맥 내강 안으로 진입이 되지 않을 수 있어서 가이드와이어 진입 시에 동맥 박리 등의 합병증을 초래할 수 있다.

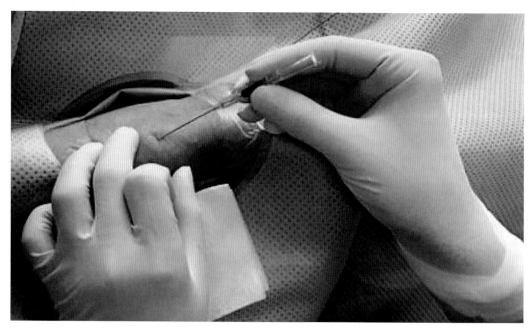

그림 6. 이겹용 바늘 천자 시 바늘의 각도: 30~45도 (사진 출처: 저자)

② 바늘의 종류에 따른 천자방법

- 이겹 바늘(Two-pieces needle puncture)을 이용한 후벽 천자법(posterior wall puncture technique)

천자 키트에 한 개의 20 G 이겹용 천자 바늘, 한 개의 10 cm 6Fr 친수성(hydrophilic) 유도관, 그리고 0.025" 친수성 가이드와이어가 포함되어 있으며, 이겹용 바늘은 강철 바늘(steel needle)과 외겹을 이루는 캐뉼라(cannula)로 이루어져 있다(그림 7-A). 천자에 앞서 환자의 손목을 과신전(hyperextension) 시킨 상태로 고정시킨다(그림 7-B). 천자 할 부위에 2% 리도카인

0.5~1 cc로 피부의 표면부위를 국소 마취시킨다(그림 7-C). 국소마취 후 바늘의 끝부분이 동맥 내경 안으로 진입하게 되면 바늘의 상단에 혈액이 맺히는 것을 관찰할 수 있으며(그림 7-D), 이는 바늘이 요골동맥의 전벽 천자(anterior wall puncture)가 되었음을 의미하나 아직 캐뉼라는 동맥 내경 안에 진입되어 있지 않은 상태이다. 바늘을 약간 더 진행시키면 강철 바늘과 캐뉼라 사이에 혈액이 채워지는 것을 관찰할 수 있는데, 이는 강철 바늘과 캐뉼라 둘다 전벽 천자를 통해 동맥 내경 안에 위치하고 있음을 의미한다. 이때 요골동맥으로 약간 2~3 mm 깊게 아래쪽 방향으로 진입시켜 요골동맥 후벽이 천자하여 강철 바늘을 제거 할 때 급작스럽게 혈액이 분출되지 않도록 하고, 강철 바늘을 제거한다(그림 7-E). 강철 바늘을 제거 후에 오른손으로는 가이드와이어를 캐뉼라의 뒷부분에 위치시켜 캐뉼라를 통해 동맥 내로 가이드와이어를 진입시킬 준비를 하고(그림 7-F), 왼속 엄지와 검지를 이용해서 캐뉼라를 서서히 후진시켜 혈액이 분출되면, 즉시 가이드와이어를 삽입한다(그림 7-G). 마지막으로 가이드와이어를 충분히 진입시킨 후에 캐뉼라 제거하고(그림 7-H), 가이드와이어를 따라서 유도초를 삽입한다(그림 7-I).

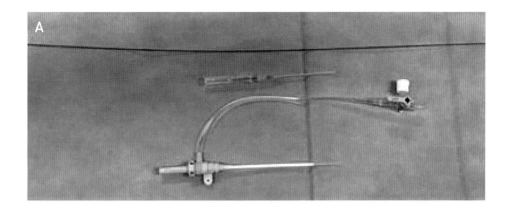

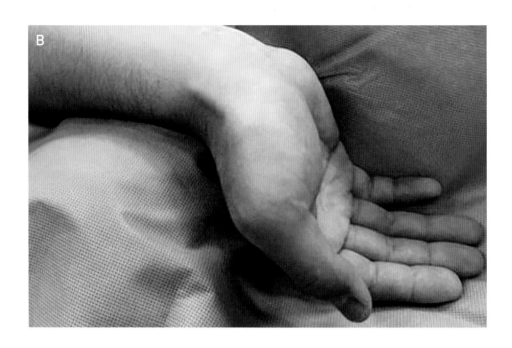

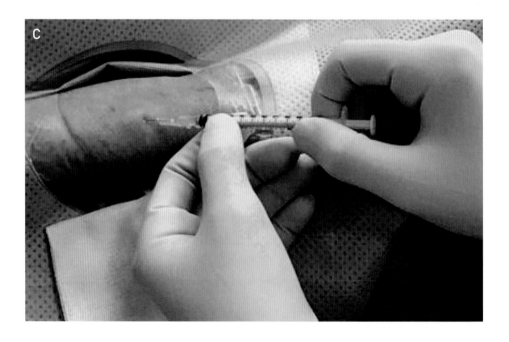

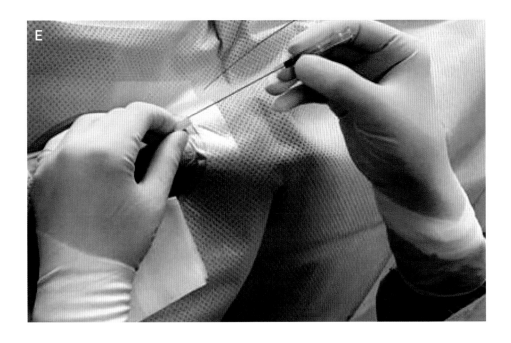

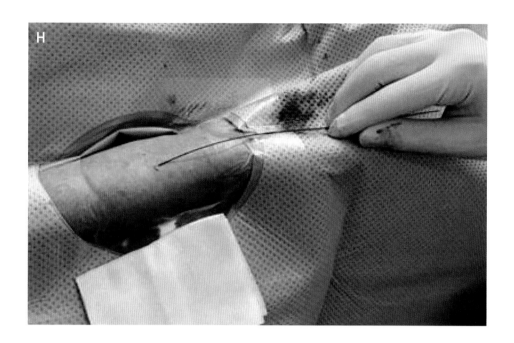

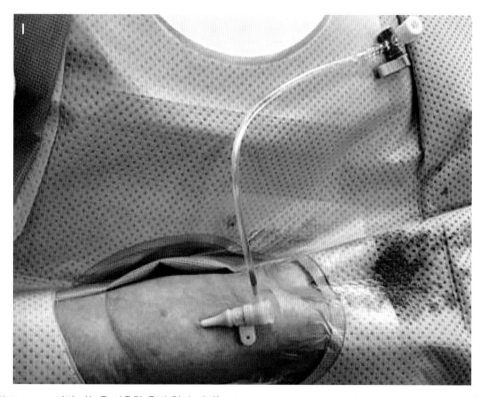

그림 7. A-I : 이겹 바늘을 이용한 후벽 천자 기법(posterior wall puncture technique by two-pieces needle)

- 일겹 강철 바늘 천자(one-piece steel needle puncture)

외겹으로 덮이지 않은 강철 바늘(steel needle) 천자의 방법은 그림 8 A-F에 설명되어 있다. 요골동맥 천자에 이용되는 일겹 강철 바늘은 대퇴동맥 천자에 사용하는 셀딩거 기법(seldinger technique) 시 사용하는 바늘과 동일한 구조로 되어있으며 바늘과 가이드와이어의 두께만 가늘다. 천자방법도 일반적으로 전벽 천자를 하는 것을 선호한다. 첫 단계는 1~3 mmL의 국소마취제를 경상돌기(styloid process)의 바로 근위부 쪽에 피하주사한다(그림 8-A). 그리고 피부를 작게 절개하고나서 왼손의 중간 세 손가락으로 요골동맥을 촉지한다(그림 8-B). 왼손의 검지는 요골동맥에 좀 더 가볍게 대고, 반대쪽 손 엄지와 검지로 바늘을 잡고 요골동맥을 향해 30도 각도로 위치시킨다. 천자는 외측에서 중앙쪽으로 한다(그림 8-C). 천자가 되면 가이드와이어를 동맥으로 진입시킨 다음 X선 투시를 보면서 유도초를 요골동맥으로 삽입한다(그림 8-D). 만약 가이드와이어 진입 시 저항이 있다면 X선 투시로 와이어의 끝 부분을 관찰한다. 와이어가 진입하는 동안 저항이 없다면 유도초를 요골동맥에 삽입하는 동안 X선 투시로 볼 필요는 없다(그림 8-E).

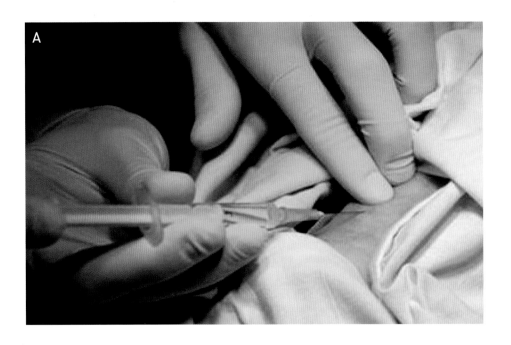

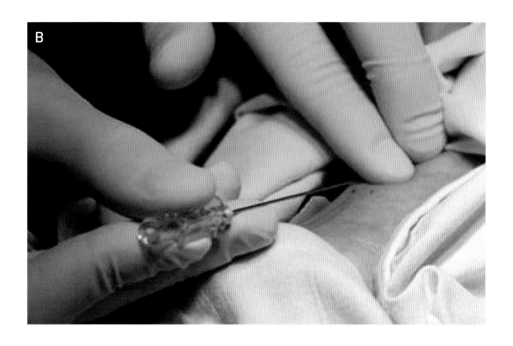

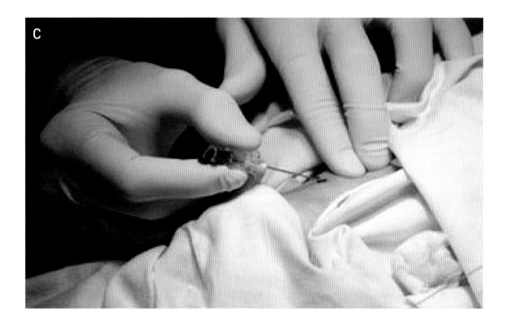

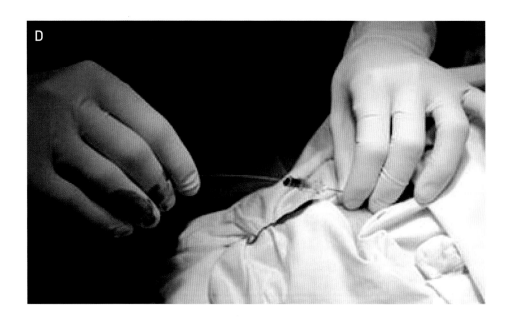

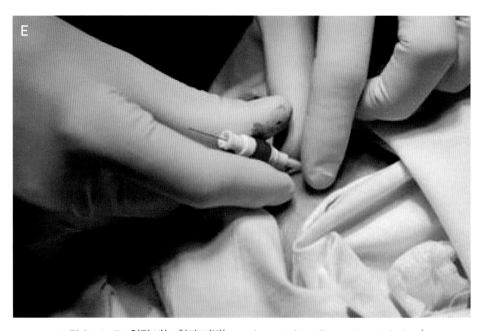

그림 8. A-E : 일겹 바늘 천자 기법(one-piece steel needle puncture technique)

요골동맥 연축의 예방

요골동맥을 통한 심도자술시 요골동맥의 연축은 4~20% 정도로 보고되고 있으며, 위험인자로는 유도초의 크기, 반복된 관 삽입, 그리고 고령 등이 이에 해당된다고 알려져 있다. 현재 니트로글리세린(NTG)과 베라파밀(verapamil) 등을 포함한 다양한 약물들이 요골동맥 연축의 예방을 위해 사용되고 있지만, 현재까지 유도초 삽입 후 확실한 혈관확장 효과를 보이는 칵테일 용액(cocktail solution)에 대한 표준 용법은 없는 실정이다. 일반적으로 요골동맥 연축을 예방하기 위해 약물들과 헤파린을 미리 섞은 칵테일 용액을 생리식염수에 희석하여 주입하는 경우가 많다. Kristic 등은 7,197명의 환자를 포함한 19개의 문헌고찰을 통하여 살펴본 바로는, 니트로글리세린(100~200 μg)과 베라파밀(1.25~5 mg)을 섞은 칵테일 용액이 요골동맥 연축을 3.9%까지 감소시킨다고 보고하였다. 이 혼합용액의 효과는 Vuurmans 등에 의한 문헌고찰에서도 확인되었다. 베라파밀은 심한 좌심실기능 부전과 서맥이 있는 경우 금기이므로 사용에 주의를 요한다. 요골동맥 천자 후에 연축을 예방할 수 있는 방법은 (표 1)에서 보는 바와 같다.

표 1. 요골동맥 연축 예방을 위한 방법

장비(prevention by equipment)	약물(pharmacological prevention)
1. 친수성 코팅된 유도초 사용(coated hydrophilic sheath 2. 직경이 작은 유도초 및 카테터 사용 3. 무유도초(Sheathless) 카테터 사용	1. 칵테일 용액(헤파린 3,000~5,000단위, 니트로글리세린 100~200 μg, 베라파밀 2 mg) 2. 추가로 사용 가능한 약물 딜티아젬(diltiazem), 아데노신(adenosine)

참고문헌

1. Campeau, L. Percutaneous radial artery approach for coronary angioplasty. Cathet Cardiovasc Diagn 1989;16:3-7.

2. Kiemeneij, F et.al. Transradial artery coronary angioplasty. Am Heart J 1989;129:1-7.

3. Kiemeneij, F et.al. Percutaneous transradial artery approach for coronary Palmaz-Shatz stent implantation. Am Heart J, 1994;128:167-74.

4. Fernández-Portales J, Valdesuso R, Carreras R, Right versus left radial artery approach for coronary angiography. Difference observed and the learning curve. Rev Esp Cardiol 2006;59:1071-74

5. Ivica Kristic, Josip Lukenda. Radial artery spasm during transradial coronary procedures. J Invasive Cardiol 2011;23:527-31.

6. Ho HH, Jafary FH, Ong PJ. Radial artery spasm during transradial cardiac catheterization and percutaneous intervention: incidence, predisposing factors, prevention and management. Cardiovasc Revasc Med 2012;13:193–95.

7. Kwok CS, Rashid M, Fraser D, Intra-arterial vasodilators to prevent radial artery spasm: a systematic review and pooled analysis of clinical studies. Cardiovas Revasc Med 2015;16:484-90

8. Kristic I, Lukenda J. Radial artery spasm during transradial coronary procedures. J Invasive Cardiol 2011;23:527–31

9. Varenne O, Diallo A, Jakamy R, How to limit radial artery spasm in patients treated by transradial interventions. J Am Coll Cardiol 2014;64:B240.

10. Vuurmans T, Hilton D. Brewing the right cocktails for radial intervention. Indian Heart J 2010;62:221–6

원위부 경요골 접근법: 스너프박스(Snuffbox) 접근

Distal transradial access: Snuffbox approach

중앙대학교병원 원호연
울산의대 강릉아산병원 유상용
강원대학교병원 조병렬

 ## 1 서론

전통적인 천자 방법은 대퇴동맥, 상완동맥, 요골동맥(혹은 드물게 자골동맥)을 통한 접근법이 사용되어 왔다. 특히, 경요골 접근법은 최근에 관상동맥 조영술 및 성형술의 기본적 접근법이 되었다. 하지만, 일부 제한점이 남아있는데, 예를 들어, 근골격계나 신경계적 문제로 인해 팔의 자세를 유지하기 어려워서, 요골동맥 천자를 하기 어려운 환자들의 경우는 대퇴동맥 천자를 하거나 반대쪽 경요골 접근법을 할 수밖에 없었다. 또한, 많은 시술자들이 오른쪽 요골동맥 접근법을 선호하는데, 이유는 왼쪽 요골동맥을 천자할 경우에 허리를 구부린다던지 시술 위치의 반대편으로 돌아가서 천자를 하고, 시술 중에도 팔을 뻗어 시술을 해야 한다는 불편함을 느끼기 때문이다. 이런 문제들을 해결할 수 있는 새로운 접근법으로, 원위부 경요골 접근법(distal radial artery approach), 혹은 스너프 박스(snuff box, 한글: 코담배갑) 접근법이 최근 사용되고 있다.

1) 해부 및 천자

　요골동맥은 팔의 내측, 즉 손바닥 측면의 엄지 손가락 쪽으로 주행하는데, 손목 부분에서 손등 쪽으로 주행방향을 바꾸게 되며, 원위부 요골동맥과 표면 손바닥 가지(superficial palmar branch)로 갈라지게 된다. 해부학적 스너프박스는 짧은엄지폄근(Extensor pollicis brevis)과 긴엄지폄근(Extensor pollicis longus) 사이의 공간을 말하는데, 근육이 없기 때문에 요골동맥이 표면에 노출되어 있어 잘 만져지게 된다. 또한 긴엄지폄근 바로 뒷 부분도 근육이 없어 요골동맥이 잘 만져진다(그림 1). 이 두 부분이 원위부 경요골 접근법의 천자 위치가 된다.

　전통적인 경요골 접근법은 손바닥 쪽이 천장을 바라보도록 손을 고정하고 천자를 하는 반면, 원위부 경요골 접근법의 경우 누워서 손을 편하게 내려놓았을 때 엄지 손가락이 천장을 보는 자연스러운 자세로 천자를 하기 때문에 팔을 돌리지 않고 천자할 수 있다(그림 2, 3). 혈관조영검사시 천자위치가 기존의 요골동맥 천자위치보다 원위부임을 알 수 있다(그림 4). 특히, 왼쪽 원위부 경요골 접근법의 경우, 왼팔을 구부려서 환자의 배에 올려놓고 오른쪽 대퇴 동맥 쪽으로 자연스럽게 옮기면 왼쪽 손등이 사타구니나 오른쪽 대퇴동맥 쪽으로 오게 되는데, 손바닥을 뒤집을 필요가 없어 팔의 자연스러운 자세에서 왼쪽 원위부 요골동맥 천자를 할 수 있기 때문에, 환자와 시술자 모두 편한 자세에서 시술을 할 수 있는 장점이 있다(그림 5).[1] 일반적으로 6Fr 유도초까지는 사용하는데 큰 지장이 없다고 알려져 있다.

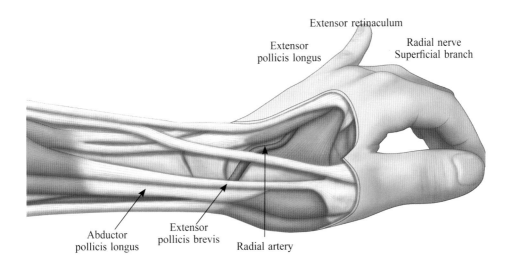

그림 1. 요골동맥의 주행과 해부학적 스너프박스

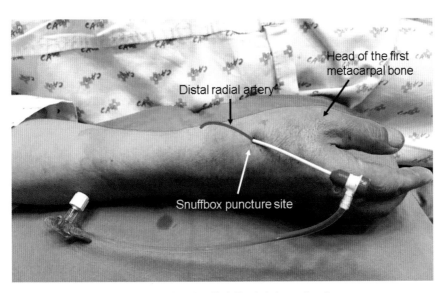

그림 2. 스너프박스 천자 후 삽입된 5Fr 유도초

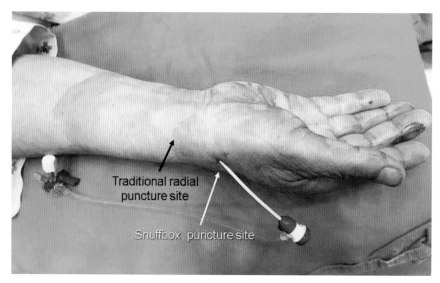

그림 3. 스너프박스 천자 위치와 일반적인 경요골동맥 천자 위치

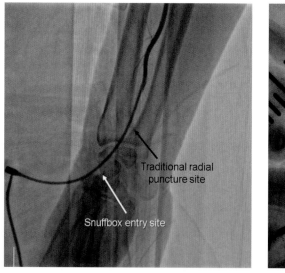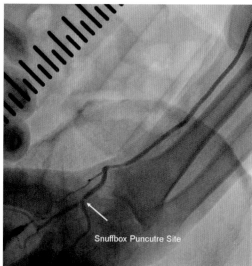

그림 4. 원위부 경요골동맥에 삽입된 유도초로부터 시행한 혈관 조영 사진

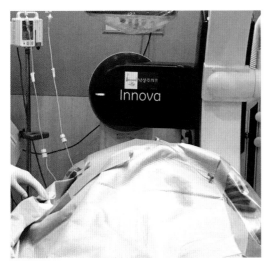
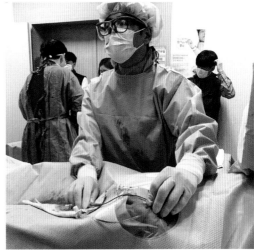

그림 5. 좌측 스너프박스 천자후 시술

2) 지혈

지혈은 전통적인 경요골 접근법과 크게 다르지는 않다. 하지만, 근육이 없고 좀 더 잘 움직이는 부분이기 때문에, 손목이 움직이지 않도록 지지하는 일반적인 지혈 기구보다는 국소적인 압박이 가능한 지혈 기구를 사용하거나 거즈를 돌돌 말아서 압박하는 지혈 방식이 좀 더 효과적이다(그림 6).

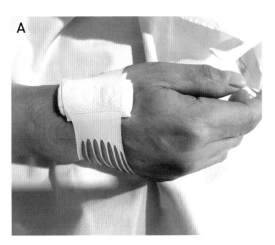
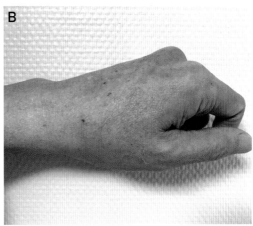

그림 6. 거즈가 포함된 지혈기구를 사용하여 지혈한 예(A)와 지혈 후 지혈기구를 제거한 후(B)

원위부 경요골 접근법은 (1) 환자 및 시술자의 자세가 좀더 편안한 상태에서 시술을 할 수 있으며, (2) 움직임에 제한이 있는 환자에서도 시술이 가능하고 (3) 요골동맥을 보존해야 하는 경우(예, 관상동맥 우회수술, 투석을 위한 동정맥루)에 유리하며, (4) 시술과 관련된 후 혈관이 막히더라도 근위부 요골동맥을 사용할 수 있어 차기 시술도 용이하다는 등의 장점이 있다. 하지만, (1) 원위부 경요골 접근법에 특화된 지혈기구가 아직 없으며, (2) 근위부 요골동맥보다는 혈관 직경이 작고, (3) 일부 키가 큰 환자나 쇄골하동맥이나 대동맥이 사행성인 경우에는 카테터가 짧을 수 있는 단점이 있다.[2]

참고문헌

1. Kiemeneij F, Left distal transnsradial access in the anatomical snuffbox for coronary angiography (ldTRA) and interventions (ldTRI). Eurointervention 2017;13:851-7
2. Davies RE, Gilchrist IC, Back hand approach to radial access: The snuff box approach. Cardiovasc Revasc Med 2017 [in press]

3
CHAPTER

요골동맥 접근의 준비
Preparation for transradial approach

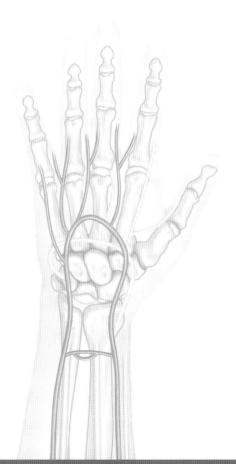

3
Chapter

요골동맥 접근의 준비

Preparation for transradial approach

한림의대 강동성심병원 이준희
한림의대 춘천성심병원 최현희
한림의대 강동성심병원 한규록

 1 **요골동맥 천자의 적응증 및 금기증**

과거 요골동맥을 통한 시술은 대퇴동맥으로의 시술이 어렵거나 합병증이 있을 때 사용되어 왔다. 그러나 최근에는 경요골 관상동맥조영술 및 중재시술이 출혈 관련 합병증이 적고[1,2] 시술 후 침상 안정 기간을 획기적으로 단축 시켜 심지어 관상동맥 중재시술 이후에도 당일 퇴원이 가능[3-5]하도록 한다는 장점들 때문에 극소수의 금기를 제외하고는 거의 대부분의 환자들에게 널리 사용되고 있다(표 1).

표 1. 경요골동맥중재술의 적응증

Peripheral vascular disease	Coagulation status
Peripheral vascular graft	
Peripheral angioplasty	International normalized ratio ⟩2.0
Amputation	Recent thrombolysis
Abdominal aortic aneurysm	Thrombocytopenia (platelet ⟨30)
Aortic dissection	Von Willebrand's disease
Coarctation	

Musculoskeletal indications	Others
Orthopnea Immobility Morbid obesity	Groin phobia Saddle embolus

　요골동맥 시술의 절대적인 금기는 없다고 할 수 있으나 요골동맥과 척골동맥의 측부 혈관 순환이 없거나 요골동맥의 크기가 작거나 맥박이 만져지지 않는 경우 및 향후 투석을 위한 동정맥루를 만들어야 하는 경우 등에서는 피하는 것이 좋다(표 2).

표 2. 경요골동맥중재술 상대적 금기증

Wrist Phobia

Absent radial pulse

Abnormal Allen's test

Severe vasospastic condition
Raynaud's phenomenon, Buerger's disease

Planned or present arteriovenous shunt

Planned Coronary artery bypass graft

Myocardial biopsy

Ipsilateral mastectomy

 2　요골동맥 접근 전 준비

① 시술 전 환자에게 요골동맥을 통한 시술과정 및 장 단점에 대한 설명 및 고지가 반드시 필요하다.
② 수부의 적절한 측부 혈류의 유무를 평가한다.
　요골동맥의 폐색은 요골동맥을 통한 혈관조영술에서 드물게 발생되는 합병증으로 전

향적 연구들에서 10% 정도로 보고[6,7]되고 있지만 요골동맥과 척골동맥의 측부 혈류가 없다면 수부의 허혈을 초래하게 되어 심각한 문제가 발생될 수 있다.

고전적으로 사용되어온 방법으로 Mayo 클리닉의 Dr. Edgar V Allen에 의해 처음 기술된 알렌검사(Allen's test)가 있다. 변형 알렌검사는 우선 요골동맥과 척골동맥을 동시에 모두 압박한 이후 환자에게 손바닥이 하얗게 될 때까지 주먹을 쥐었다 피었다 반복하게 한 다음 척골동맥의 압박을 풀게 하여 손바닥의 색이 즉각 돌아 온다면 적절한 측부 혈관을 가졌음을 알 수 있는 검사로 10초가 지나도 호전되지 않으면 음성으로 판정하고 측부 순환이 적절하지 않음을 의미한다(그림 1). 만약 한쪽 손의 알렌검사가 이상 소견이 있다면 다른 쪽 손의 알렌검사는 정상일 가능성이 높으며 양측 알렌검사가 이상이 있는 경우는 10% 미만이다.[8]

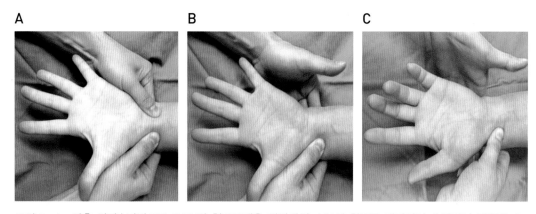

그림 1. A : 양측 엄지손가락으로 요골 및 척골동맥을 압박하여 수부의 혈류를 차단하여 손바닥이 창백해지는 것을 확인한다.
B : 척골동맥을 압박한 손가락을 떼었을 때 손바닥 전체의 혈색이 호전되는 것을 확인한다. 5초 이내 호전되면 양성(정상), 5∼10초 사이에 호전되면 약양성이라고 판정한다.
C : 척골동맥을 압박한 손가락을 떼었을 때 손바닥 전체의 혈색이 10초가 지나도 호전되지 않으면 음성 (부적절한 측부순환)이라고 판정한다.

다른 방법으로는 맥파계(plethysmography)와 산소 측정기를 이용한 방법이 있다. 요골동맥을 압박한 상태에서 엄지손가락 끝에 맥파계(plethysmography)를 위치해 두고 산소 포화도나 맥파를 감시하여 압박하자마자 관찰되었던 산소포화도나 맥파의 감소가 수초 내 처음처럼 회복된다면 적절한 측부혈관이 존재하고 있음을 확인할 수 있다(그림 2). 요골동맥을 압박해도 처음부터 산소포화도나 맥파의 변화가 관찰되지 않아도 적절한 측부 혈관을 가지고 있다고 해석할 수 있다. 만약 산소포화도나 맥파가 회복되지 않더라도 수분간 기다려 보아야 하고 만약 늦게라도 회복이 되면 다시 검사해서 회복속도가 빨라진다면 측부혈관 상태는 적절하다고 평가된다.

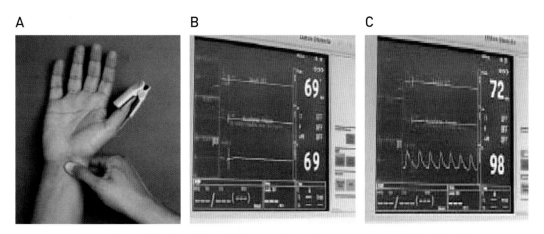

그림 2. A : 요골동맥을 압박한 상태에서 엄지손가락 끝에 맥파계(plethysmography)를 위치해 둔다.
B : 압박하자마자 산소농도나 맥파의 감소가 관찰될 수 있다.
C : 압박해도 산소농도나 맥파의 감소가 없거나 수초 내 처음처럼 회복된다면 적절한 측부혈관을 가지고 있음을 의미한다.

유사한 방법으로 맥파계를 이용한 Barbeau 검사 방법이 있고 1,000명 이상을 대상으로 한 연구에서 95% 이상이 A~C type으로 나타나 적절한 측부혈관을 가지고 있다고 평가되었다(그림 3).

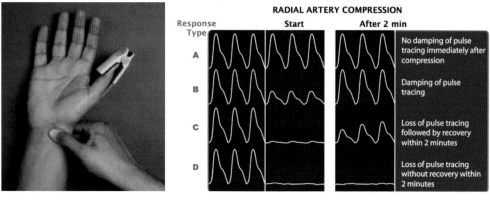

그림 3. Barbeau 검사

하지만 알렌검사를 반드시 해야만 하는지에 대한 논란이 있다. 알렌검사가 음성인 환자에서, 경요골동맥 중재시술 후 허혈성 사건 발생이 없었고 우회로 조성 수술 시 요골동맥이 성공적으로 이식 혈관으로 사용[9,10]되었다는 연구결과 보고들이 있었으며 이는 알렌검사가 음성인 환자에서도 경요골동맥 접근이 일부 가능할 수 있음을 의미한다. 그러나 경요골접근은 시술자의 개인적인 경험과 시술자의 혈관조영실내 요골동맥 폐색발생비율 등을 토대로, 경요골동맥접근으로 인한 요골동맥폐색의 위험성과 경대퇴동맥접근으로 인한 위험성을 잘 비교하여 선택되어야 할 것이다.

③ 요골동맥 접근 시 환자들이 호소하는 가장 큰 불편감은 천자부위의 통증으로, 시술 1~3시간 전 천자부위에 국소 마취 크림인 eutective mixture of local anesthetic (EMLA) 크림을 도포하여 피부마취를 미리 시행하면 천자 시에 발생하는 통증을 감소 시킴으로써 천자실패율도 줄일 수 있다(그림 4).

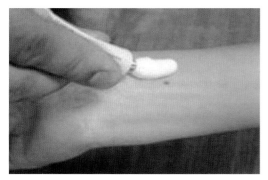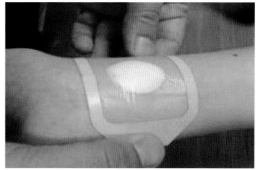

그림 4. 천자부위에 천자 1~3시간 전 국소마취 크림 도포

④ 경요골동맥으로의 접근이나 시술이 불가능한 경우 및 응급상황을 대비하여 대퇴동맥 천자 준비(제모 및 소독)를 미리 시행하도록 한다(그림 5).

급성심근경색환자에서도 응급 관상동맥 중재시술 시 요골동맥을 이용할 수 있고 많은 전문가들이 경요골동맥 응급 관상동맥중재술시 대퇴동맥을 이용한 중재시술에 비해 낮은 사망률과 출혈 합병증을 보고했다.[12] 대동맥내 풍선펌프가 필요한 경우에도 대동맥내 풍선펌프는 대퇴동맥을 경유하여 삽입시키고 중재시술은 요골동맥을 통해 시술함으로써 출혈 합병증을 줄일 수도 있다.

내유선동맥을 확인하기에 대퇴동맥을 이용한 접근에 비해 불리하다고 알려져 있지만 요골동맥에서 반대측 쇄골하동맥까지 접근이 가능하도록 고안된 다양한 도관들을 이용하면 양측 내유선동맥 모두 요골동맥 접근을 통해 확인할 수 있다.

대퇴동맥을 통한 접근은 보통 정맥과 동맥의 접근이 동시에 필요한 우심도자술이나 관상동맥조영술을 시행하는 경우 사용된다. 그러나 대퇴정맥의 지혈은 상태적으로 힘이 덜 들기때문에 경요골동맥시술과 대퇴정맥을 통한 접근이 출혈합병증을 좀더 감소 시킬 수 있다. 우심도자술을 노측피부정맥(cephalic vein)이나 척측피부정맥(basilica vein)을 사용하여 접근하는 경우도 있다.

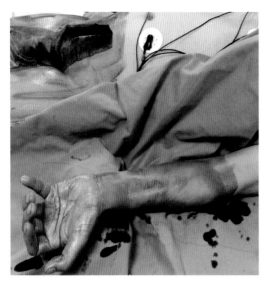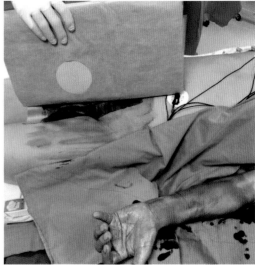

그림 5. 경요골동맥으로의 접근이나 시술이 불가능한 경우 및 응급상황을 대비하여 대퇴동맥 천자 준비 (제모 및 소독)

3 **시술자의 경험을 바탕으로 한 요골동맥접근 적응증**

경요골 중재시술 초심자들을 위한 몇 가지 충고 사항들이 있다.

만약 경요골동맥중재시술을 시작한 단계라면 적절한 환자를 선택하는 것이 도움이 된다.

즉 시술시작시와 시술 중 생체 징후가 안정적이고 알렌검사가 정상이며 크고 촉지가 잘되는 요골동맥이 있고 말초혈관질환은 없고, 정상 대동맥, 정상적인 관상동맥주행을 가지고 있으면서 관상동맥의 단순 병변이 있는 경우부터 시도해 보고 경요골동맥중재술에 익숙해 진다면 적응증을 넓혀 나가 볼 수 있다.

경요골동맥중재술에 대한 학습곡선을 지난다면 급성 심근경색환자와 같이 복잡한 병변이나 불안정한 환자들에서도 시술이 가능할 수 있다. 대부분의 분지병변도 경요골동맥을 통해서 시술을 할 수 있는데, 경요골동맥중재술시 가장 흔히 사용하는 6Fr 크기의 가이딩 카테터로 2.5 mm 크기의 풍선을 동시에 사용(kissing balloon) 가능하기 때문이다. 최근에는 도관이나 풍선,

스텐트가 점점 더 얇게 개발되고 있어 5Fr 가이딩 카테터를 이용한 시술도 점점 늘어나고 있고 유도초 없이(sheathless) 가이딩 카테터만을 이용한 시술도 시도되고 있어 경요골동맥중재술의 한계를 극복해 나가고 있다. 굴곡진 병변이나 심한 협착병변은 강한 지지력이 필요하기 때문에 상대적으로 가는 카테터를 사용할 수밖에 없는 경요골동맥중재술시에 대퇴동맥을 통한 시술에 비해 지지력이 떨어질 수 밖에 없지만 강력한 지지력을 가진 카테터를 사용하거나 혈관에 깊이 카테터를 삽입시키거나 모자 카테터 기법(mother and child catheter)을 사용하거나 평행 가이드와이어를 사용하는 방법을 사용할 수 있다. 관동맥 만성 완전폐색병변도 경요골동맥중재술로 치료할 수 있고 양측 조영제 주입이 필요한 경우 대퇴동맥이나 요골동맥을 동시에 사용할 수 있다. 예전에는 심한 석회화 병변을 치료하기 위해서 사용하는 rotablation이 8Fr 이상의 가이딩 카테터에서만 가능하여 경요골동맥중재술 시 사용하지 못하였으나 최근에는 가능하게 되었다(6Fr 가이딩 카테터 1.5 mm Burr까지 사용할 수 있음).

경요골동맥중재술에 익숙하다면 급성심근경색도 더 이상 경요골동맥 중재술의 금기가 아니다. 고령 환자에 있어서 대동맥이 심하게 굴곡진 경우가 있고 이런 경우 오히려 요골동맥이 좀 더 쉽고 편하게 관상동맥에 접근할 수 있어 시술시간도 단축시킬 수 있는 장점이 있다.

하지만 요골동맥에 경련이 발생되었거나 심한 굴곡이 있는 경우 또는 요골동맥크기보다 더 큰 크기의 기구가 필요한 상황이라면 대퇴동맥으로 접근 경로를 변경할 수 있다.

참고문헌

1. Agostoni P, Biondi-Zoccai GG, de Benedictis ML, et al. Radial versus femoral approach for percutaneous coronary diagnostic and interventional procedures; Systematic overview and meta-analysis of randomized trials. J Am Coll Cardiol 2004;44:349-56

2. Cox N, Resnic FS, Popma JJ, et al. Comparison of the risk of vascular complications associated with femoral and radial access coronary catheterization procedures in obese versus nonobese patients. Am J Cardiol 2004;94:1174-7.

3. Wiper A, Kumar S, MacDonald J, et al. Day case transradial coronary angioplasty: a fouryear single-center experience. Catheter Cardiovasc Interv 2006;68:549-53.

4. Bertrand OF, De Larochellière R, Rodés-Cabau J, et al; Early Discharge After Transradial Stenting of 13Chapter 2 Patient selection for Transradial intervention Coronary Arteries Study Investigators. A randomized study comparing same-day home discharge and abciximab bolus only to overnight hospitalization and abciximab bolus and infusion after transradial coronary stent implantation. Circulation 2006;114:2636-43.

5. Bottner RK, Blankenship JC, Klein LW; International Committee of the Society for Cardiovascular Angiography and Interventions. Current usage and attitudes among interventional cardiologists regarding the performance of percutaneous coronary intervention (PCI) in the outpatient setting. Catheter Cardiovasc Interv 2005;66:455-61.

6. Sanmartin M, Gomez M, Rumoroso JR, et al. Interruption of blood flow during compression and radial artery occlusion after transradial catheterization. Catheter Cardiovasc Interv 2007;70:185-9.

7. Pancholy S, Coppola J, Patel T, et al. Prevention of radial artery occlusion-patent hemostasis evaluation trial (PROPHET study): a randomized comparison of traditional versus patency documented hemostasis after transradial catheterization. Prevention of radial artery occlusion-patent hemostasis evaluation trial (PROPHET study): a randomized comparison of traditional versus patency documented hemostasis after transradial catheterization. Catheter Cardiovasc Interv 2008;72:335-40.

8. Barbeau GR, Arsenault F, Dugas L, et al. Evaluation of the ulnopalmar arterial arches with pulse oximetry and plethysmography: comparison with the Allen's test in 1,010 patients. Am Heart J. 2004;147:489-93.

9. Hata M, Sezai A, Niino T, et al. Radial artery harvest using the sharp scissors method for patients with pathological findings on Allen's test. Surg Today 2006;36:790-2.

10. Ghuran AV, Dixon G, Holmberg S, et al. Transradial coronary intervention without pre-screening for a dual palmar blood supply. Int J Cardiol 2007;121:320-2.

11. Hildick-Smith DJ, Walsh JT, Lowe MD, et al. Coronary angiography in the fully anticoagulated patient: the transradial route is successful and safe. Catheter Cardiovasc Interv 2003;58:8-10.

12. Vorobcsuk A, Kónyi A, Aradi D, et al. Transradial versus transfemoral percutaneous coronary intervention in acute myocardial infarction Systematic overview and meta-analysis. Am Heart J 2009;158:814-21.

13. Yip HK, Chung SY, Chai HT,et al. Safety and efficacy of transradial vs transfemoral arterial primary coronary angioplasty for acute myocardial infarction: single-center experience. Circ J 2009;73:2050-5.

CHAPTER

4

요골동맥 시술 후 혈관 지혈방법

Closure and hemostasis
after radial access

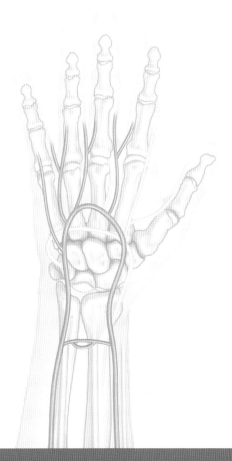

4 Chapter

요골동맥 시술 후
혈관 지혈방법

Closure and hemostasis after radial access

한양대학교병원 임영효
순천향대학교 천안병원 박상호

1 개요(Introduction)

요골동맥을 이용하는 혈관조영술(Trans-radial angiography, TRA)은 대퇴동맥을 이용하는 혈관조영술(Trans-femoral angiography, TFA)과 비교하여, 혈관 천자부위의 출혈 합병증을 포함한 전체 혈관 합병증의 감소를 가져왔고, 이로 인해 전체 관상 동맥 중재술의 이환율 및 사망률 감소를 가져왔다.[1,2] 따라서, 요골동맥 시술 이후 혈관 접근로의 지혈은 매우 중요하며, 시술 중 사용한 헤파린의 양이나 당단백 IIb/IIIa 수용체 차단제(Glycoprotein IIb/IIIa inhibitor)의 사용여부와 관계없이 유도초의 제거와 함께 시작된다(표 1).

표 1. 유도초 제거의 권고사항

- 환자에게 유도초 제거의 시기를 알려주고, 불편함이 생기는 것을 알려준다.
- 시술 직후에 유도초를 제거한다.
- 제거하는 동안 유도초의 근위부 요골동맥에 압박을 가하여 요골동맥이 전체적으로 끌려오는걸 방지한다.
- 유도초를 제거할 때 느린 속도로 제거할 경우 불편함이 더 오래갈 수 있기 때문에 신속한 속도로 제거한다.
- 응혈을 밀어내고 말초 색전을 방지하기 위해 일부 역행성 출혈을 허용한다.
- 요골동맥을 압박한다.

요골동맥 천자부위 지혈법 및 지혈도구

1) 요골동맥 천자부위의 지혈 단계는 일반적으로 다음과 같은 과정으로 진행한다

먼저, 유도초를 당겨 마찰의 정도를 평가하여 마찰이 매우 적거나 없으면 그대로 유도초를 제거한다. 만약, 마찰이 느껴지면 대부분은 요골동맥 연축이 주 원인으로 유도초를 통하여 소량의 니트로글리세린을 주입 후 전완부 요골동맥이 당겨지는 것을 피하기 위해서 천자부위 근위부 요골동맥에 압력을 주면서 서서히 유도초를 제거하면 된다. 이렇게 함으로써 환자의 불편을 줄여줄 수 있다. 친수성으로 코팅된 짧은(10 cm) 유도초를 사용하면, 마찰은 무시할 수 있을 정도로 거의 없다. 유도초 제거 후 압박은 3~4시간 정도 유지해야 하고, 그 뒤에 천자부위의 출혈이 없는지 확인하고 동맥혈 가스분석의 천자 후와 같은 방법으로 드레싱 해준다. 압박 시간을 너무 짧게 하면 천자부위의 출혈의 위험이, 과도한 압력으로 오랜 시간 압박을 하였을 경우에는 혈액순환 방해로 인한 원위부 부종에서부터 심한 경우 천자부위 피부 손상 등을 유발할 수 있으므로 세심한 주의가 필요하다. 압박은 시술실에서 쉽게 구할 수 있는 재료를 이용해도 되고, 시중에 판매중인 다양한 압박기구들을 사용할 수도 있다.

2) 지혈도구(Compression device and method)

① Simple method : 각 기관마다 다양한 방법이 있으나 궁극적으로는 곁순환(collateral circulation)의 혈행을 유지하고 원위부 부종을 피하면서 효과적으로 지혈되도록 고안되었다. 상완부와 손을 지지할 수 있는 7×15 cm 정도의 지지대를 이용하여 작은 거즈(대략 4×4 cm)를 접어서 유도초를 제거하면서 천자부위를 포함하여 압박 후 테이프를 지지대와 함께 붙인다. 이렇게 함으로 곁순환을 방해하지 않고 원위부 부종도 피할 수 있다. 3~4시간 뒤에 제거를 하면서 출혈이나 기타 합병증을 확인하고 소독한다.

② Radialis S (CosafixR, 그림 1) : 시술 후 요골동맥 천자부위를 간단하고 빠르게 지혈할 수 있다. 피부 친화적인 소재와 압력의 강도를 조절할 수 있고, 재위치시킬 수 있는 장점이 있어 널리 사용되고 있다. 하지만 손목이 가늘거나 여성환자의 경우 오래 적용하였을 때 곁순환의 방해로 인한 원위부 부종을 유발하는 단점이 있어 주의가 필요하다.

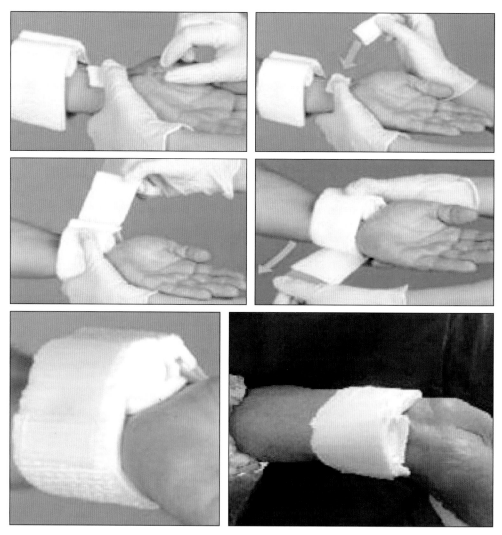

그림 1. Radilalis S 사용법과 실제 적용 예

③ Radistop (그림 2) : Radistop은 손과 손목을 편안하게 지지해준다. 요골동맥을 국소적으로 압박하며, 압력의 정도를 벨크로띠를 통해 조절할 수 있다. 플라스틱으로 지지된 판(왼손용, 오른손용)과 3개의 벨크로띠 그리고 압박패드로 구성된다. 사용이 쉽고 편안하며 재사용이 가능하다.

 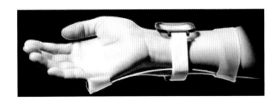

그림 2. Radistop

④ Stepty-P (그림 3) : Stepty-P는 혈압측정이나 동맥혈 가스분석에 사용되는 단시간 유지하는 요골동맥 접근로를 확보하기 위해 개발되고 승인되었다. 그래서 요골동맥 시술의 지혈에는 공식적으로는 사용되지 않지만 4~5Fr 유도초 사용 후 지혈도구로 사용하기도 한다. 압박패드가 있는 플라스틱 판으로 구성되어 있고, 이 판 위에는 신축성이 있는 접착테이프가 붙어 있다. 사용이 쉽고 울혈이 생기지 않으며, 척골동맥을 압박하지 않는다. 하지만 테이프의 접착력이 강하지 않으며 피부가 건조해질 수 있다. 10~20%에서 지혈이 효과적으로 되지 않는 경우가 있으며, 적용 후 몇 시간 뒤에는 피부 자극이 유발될 수 있다.

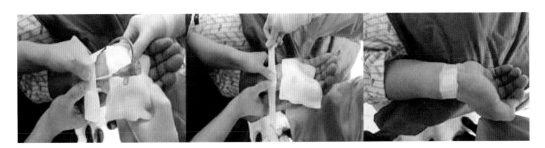

그림 3. Stepty-P 실제 적용 예

⑤ TR band (그림 4) : TR band는 빠르고 효과적이며 편안한 지혈을 할 수 있다. 투명한 지지판과 2개의 부풀릴 수 있는 풍선으로 구성된다. (하나는 천자 부위에 압력을 가하며, 다른 하나는 압력풍선이 적절한 위치에 있도록 지지해주는 역할을 한다.) 사용이 쉽고 편리하며 천자부위를 관찰할 수 있다.

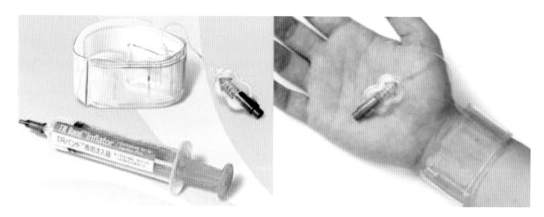

그림 4. TR band

⑥ Quikclot (그림 5) : Quickclot은 다른 압박지혈도구와는 달리, 우리몸의 자연지혈능력 (natural clotting ability)을 가속시키는 카올린(kaolin)이라는 물질을 포함하고 있는 지혈도구이다. 카올린은 무기물질로 혈액과 접촉시 내인경로(intrinsic pathway)의 시작인 factor XII를 XIIa로 활성화시켜 지혈작용을 가속화시키는 역할을 한다. 대퇴동맥 시술용인 QCI (Quikclot Interventional)과 요골동맥 시술용인 QCR (Quikclot Radial)이 있다(그림 5). 사용법은 요골동맥 유도초를 살짝 뺀 상태에서 천자부위 중앙부위에 QCR을 위치시키고 고정 시키기 위해 테이핑을 한 다음 동봉된 밴드를 준비하여 QCR 중앙부에 엄지손가락으로 압박하며 살색과 백색 접착부를 차례로 접착한 후, 유도초를 제거하고 1~5분 정도 압박해 준다(그림 6). 밴드는 1시간 후 제거하며, 최대 2시간이 넘지 않도록 한다. 도수 압박법에 비해 빠른 지혈시간이 장점이라 할 수 있다.

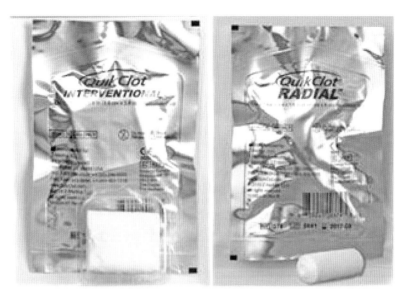

그림 5. Quikclot Interventional and Radial

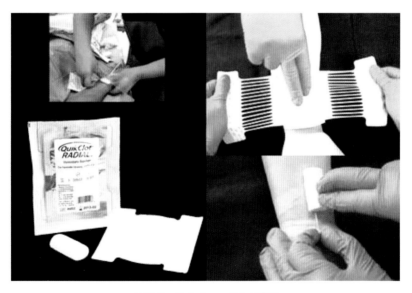

그림 6. Quikclot radial 사용법

⑦ SEAL-ONE (그림 7) : 씰원(SEAL ONE) 방사방향 압축기기의 특징은 시간이 표시기가 있어서 요골동맥 압박을 시작한 시간을 설정할 수 있고, 압박 휠을 돌려서 동맥압박 수준을 조정할 수 있는 장점이 있다. 먼저 시간표시기를 돌려서 기기의 시간위치를 설정하고 투명베이스를 향해 시간표시기를 뒤쪽으로 밀어 잠근다. 유도초 제거 시에는 압박수준을

2~3으로 유지하고 중앙표식이 천공부위에서 약 0.5 cm 근위부에 위치하고 있는지 확인하고 손목 스트랩을 조정하여 고정한다. 동맥의 압박은 압박 휠을 시계방향으로 돌려 레벨 3으로 시작하여 출혈이 멈출때까지 압박단계를 높인다. 30분 이상 압박후 압박을 줄이려면(예, 레벨 6에서 레벨 4로) 안전버튼을 누르는 동시에 압박 휠을 시계반대방향으로 돌려서 압박을 해제한다. 투명베이스에 핏방울이 보이면 압박해제를 중단하고 출혈이 멈출때까지 다시 압박해야한다. 최소한 15분 경과 후 압박을 줄이고(예, 레벨 4에서 레벨 2로), 일단 압박해제 레벨이 제로에 도달하면 최소한 15분을 기다린 후 제거한다. 과도한 압박은 동맥폐색으로 이어질 수 있어서 5시간 이상을 방치해서는 안된다.

위에 소개한 대표적인 지혈장치 이외에도 Adapty, Tometakun 등 상업적으로 다양한 요골동맥 지혈장치가 시판되고 있으며 각 지혈장치마다 장 단점이 존재하므로 적절히 선택하여 이용하면 된다.

3 출혈 합병증

요골동맥 시술과 연관된 혈관 합병증에는 지속적인 입원을 필요로 하거나, 수술, 다량의 수혈이 필요한 주요 출혈(major bleeding), 수술이나 경피적 중재술을 요하는 가성동맥류(pseudoaneuysm), 동정맥루, 수술적 치료가 요구되는 허혈, 그리고 원위부 혈전색전증 등이 있다(표 2).[3]

표 2. 요골동맥 시술과 연관된 합병증

- 천자부위 혈종
- 시술 기구(e.g. 가이드 와이어)에 의한 혈관 손상(천공, 파열)
- 곁혈관 혈행장애로 인한 전완부 부종
- 동정맥루
- 가성동맥류
- 작열통(매우 드물지만 동맥 천자시 신경 손상에 의해 발생)
- 시술 중이나 후에 발생하는 동맥의 연축
- 유도초 제거 중 발생하는 요골동맥의 외번
- 손의 허혈(요골동맥의 폐쇄와 곁순환이 없는 경우)
- 지연성 출혈
- 구획증후군(compartment syndrome)

현재까지 여러 연구에 따르면 대퇴동맥을 통한 시술에 비해 요골동맥을 이용하는 혈관조영술이나 중재시술은 혈관 접근로의 출혈을 포함한 합병증의 빈도가 통계적으로 유의하게 낮다 (OR = 0.20 [95% CI 0.09 − 0.42], p<0.0001).[4]

경피적 중재시술에서 발생하는 출혈 합병증은 혈관 천자부위를 포함하여 시술 경로에 관여한 부위 어디에서나 발생될 수 있지만 대개의 경우 혈관 천자부위 주변에 발생하는데, 요골동맥 시술에서 출혈과 혈종을 포함한 합병증은 대부분 가이드 와이어와 카테터의 조작에 의해 발생하기 때문에 시술 중 가이드 와이어의 조심스런 조작이 필요하다. 가이드 와이어의 조작 시 주의 단계는 천자바늘로 성공적인 요골동맥 천자 후 유도초 삽입을 위한 가이드 와이어의 진입 단계부터 주의를 해야 한다. 가이드 와이어 진입 시 저항이 없어야 하고, 번거롭더라도 가이드 와이어 원위부 끝(Tip) 부위를 영상(fluoro) 투시하에 확인하면서 진입시키는 방식을 사용하는 것을 추천한다. 이때 저항을 느끼거나 가이드 와이어의 방향이 예상되는 주행 경로가 아니거나 구부러진다면 소량의 조영제를 투여해서 천자가 제대로 시행되었는지 혹은 혈관 주행이 막히거나 구부러져 있는지 확인하고 다음 단계의 조치를 취해야 한다. 유도초를 삽입 시킨 후 카테터 진입을 위해 사용되는 0.035" Terumo wire도 끝이 1.5mm 정도 구부려져 있는 J tip을 사용하며 마찬가지로 Tip 부위를 영상 투시하에 확인하면서 진행하면 가이드 와이어로 인한 혈관 손상을 예방할 수 있다. 간혹 0.035" Terumo wire가 진입되지 않는 경우가 있는데 이때 무리하게 진입시키기 보다는 0.018" 또는 0.014" wire로 변경하면 쉽게 진입되는 경우도 있다.

대부분의 경우 유도초는 길이가 짧은 것을 사용하는 것이 연관된 합병증 방지하는데 최선이지만, 요골동맥 근위부의 심한 협착내지는 경련이나 구부러진 혈관 주행으로 인해 카테터나 스텐트가 진입되지 않는 경우엔 긴 유도초(long sheath)로 변경하는 경우가 있다. 긴 유도초를 삽입할 때 시작 단계부터 심한 저항이 있다면 무리하게 진행시키는 것보다는 접근로를 다른 부위 (route)로 변경할 것을 추천한다. 이 경우 긴 유도초가 진입된다 하더라도 제거 단계에서 혈관 외번(eversion)이나 천공 또는 파열이 발생할 가능성이 높다.

천자부위 혈종으로 인하여 발생될 수 있는 구획증후군(compartment syndrome)은 발생 빈도가 매우 낮지만, 절단이나 신경학적 손상 등 심각한 합병증을 유발시킬 수 있기 때문에 임상적으로는 매우 중요하다. 주로 헤파린 용량의 부적절한 사용, 고령 또는 신부전과 연관이 있다고 알려져 있다. 즉각적인 진단과 치료가 중요하고 근막절개술(fascitomy)이 필요할 수 있다.[5]

요골동맥 중재시술에서 혈관 지혈기구의 사용이 도수 압박법에 비해 천자부위 주요합병증을 감소시킬 수 있는지에 관한 무작위 비교−대조 임상 시험의 메타분석 결과에서 양군 간에 차이가 없었다.[6] 하지만 요골동맥은 혈관이 얕게 위치해 있어서 쉽게 압박할 수 있고, 이에 따라 '능동적인' 도수 압박이 없이도 '수동적인' 압박 장치나 밴드를 통해서 적절한 지혈이 가능하여 간호 인력이나 의료진의 업무 부담을 줄여줄 수 있다. 또한 요골동맥 시술 전후 기간에 항혈소판제나 항응고제를 제한 없이 사용할 수 있다는 것도 장점이다. 환자의 선호도나 출혈 합병증 감소라는 명백한 이점 외에도, 환자가 빨리 움직이고 퇴원할 수 있어 병원 비용을 줄여주는 장점도 있다.

참고문헌

1. Jolly SS, Amlani S, Hamon M, et al. Radial versus femoral access for coronary angiography or intervention and the impact on major bleeding and ischemic events: a systematic review and meta-analysis of randomized trials. Am Heart J. 2009;157:132-40.

2. Agostoni P, Biondi-Zoccai GG, de Benedictis ML, et al. Radial versus femoral approach for percutaneous coronary diagnostic and interventional procedures; Systematic overview and meta-analysis of randomized trials. J Am Coll Cardiol. 2004 21;44:349-56.

3. Ricci MA, Trevisani GT, Pilcher DB. Vascular complications of cardiac catheterization. Am J Surg. 1994;167:375-8.

4. Fransson SG, Nylander E. Vascular injury following cardiac catheterization, coronary angiography, and coronary angioplasty. Eur Heart J. 1994;15:232-5.

5. Lin YJ, Chu CC, Tsai CW. Acute compartment syndrome after transradial coronary angioplasty. Int J Cardiol. 2004;97:311.

6. Nikolsky E, Mehran R, Halkin A, et al. Vascular complications associated with arteriotomy closure devices in patients undergoing percutaneous coronary procedures: a meta-analysis. J Am Coll Cardiol. 2004 15;44:1200-9.

5
CHAPTER

경요골동맥 중재시술을 위한
카테터의 선택

Catheter selection for diagnostic
angiography and PCI

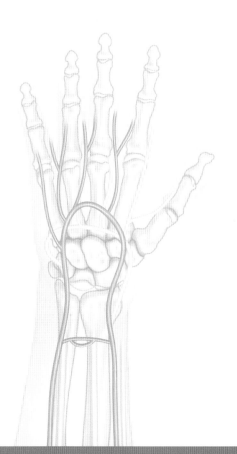

5
Chapter

경요골동맥 중재시술을 위한 카테터의 선택
Catheter selection for diagnostic angiography and PCI

인제의대 일산백병원 권성욱
인제의대 일산백병원 이성윤

요골동맥을 이용한 관상동맥 검사 및 중재술은 혈관 접근부위의 중대한 합병증이 적고, 환자의 거동이 조기에 가능하다는 이점 등으로 보편화되어 있는 방법이다. 하지만 심한 석회화, 굴곡, 만성폐색 병변, 강한 후방지지가 필요한 복잡한 병변의 경우 요골동맥을 이용한 중재술 시에는 적절한 요골동맥의 접근법이나 기구의 선택이 필요하다. 최근 기구의 소형화, 지지력을 향상시키는 기구 및 기술의 발전으로 요골동맥을 이용한 중재술이 증가하고 있으며, 최근 성적을 보면 좌주간지, 분지병병, 다혈관 병변, 만성폐쇄성 병변 등과 같은 복잡 병변에 대한 성공률이 대퇴동맥을 이용한 중재술과 비교하여 뒤쳐지지 않고, 오히려 주요 출혈의 빈도가 낮아 시술 관련한 합병증 등이 적어 병원 입원기간을 단축하는 등 장점이 있어 점점 증가하고 있는 추세이다.[1]

1 요골동맥을 이용한 관상동맥 조영술 및 중재술

1) 요골동맥 진입경로의 이해

요골동맥을 이용한 중재술의 경우 대퇴동맥을 이용한 중재술과 달리 카테터가 관상동맥 입구까지 도달하는 경로의 특성이 있다(그림 1).[2]

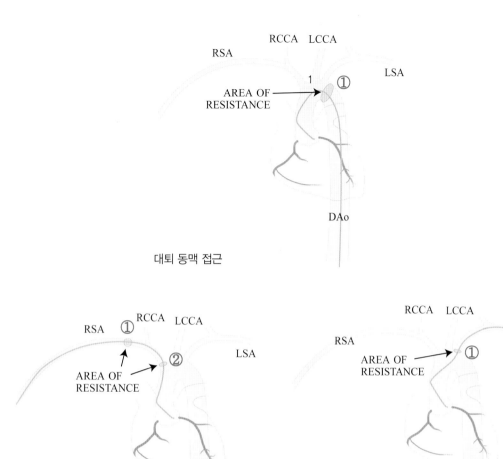

대퇴 동맥 접근

우측 요골동맥 접근   좌측 요골동맥 접근

그림 1. 혈관 접근에 따른 카테터 저항

　그림 1에서와 같이 대퇴동맥을 통해 카테터를 진입하는 경우 대동맥활(aoric arch)로 넘어가는 부위에서 1번의 저항을 받는 반면 우측 요골동맥을 이용한 접근의 경우 우측 쇄골하동맥 부위와 무명동맥(innominate artery)에서 상행대동맥으로 넘어가는 부위 2군데에서 저항을 받으면서 카테터 모양에 변화가 온다. 좌측 요골동맥의 경우 좌측 쇄골하동맥에서 대동맥활로 넘어가는 부위 1군데에서 저항을 받게 되는데 이는 대퇴동맥 진입 시와 비슷한 부위에서 저항을 받으며 카테터가 굴절하게 된다.

2) 진입 경로에 따른 카테터 모양 변화 이해

카테터가 저항을 받는 위치가 달라지면서 카테터 굴절모양도 바뀌게 되어 카테터 선택과 진입할 때 보는 촬영 각도에도 변화가 온다. Judkins 우측 카테터를 보면 1, 2차 커브가 직각~둔각의 형태로 커브가 완만하여 저항으로 카테터가 굴절이 되어도 각도의 변형이 크지 않는 반면, 좌측 카테터의 경우 1, 2차 커브가 예각~직각을 이루고 있어 각도의 변형이 크게 온다(그림 2). 이러한 특성으로 인해 요골동맥을 이용한 카테터 선택 시 우측은 JR 4.0, 좌측은 JL 3.5를 기본으로 한다. 참고로 일반적으로 사용하는 Judkins 카테터는 대퇴동맥 접근을 바탕으로 만들어진 카테터로 우측관상동맥은 JR 4.0, 좌측관상동맥은 JL 4.0을 기본으로 한다.

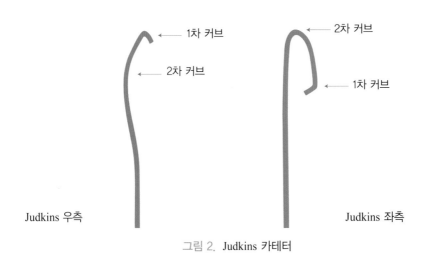

그림 2. Judkins 카테터

그리고 카테터 저항에 따른 모양의 변형과 경로의 특성상 촬영 각도에도 변화가 오게 된다. 우관상동맥을 촬영 시 LAO 30~45도의 각도를 주고 촬영을 하는 것은 차이가 없지만, 좌관상동맥 촬영 시에는 대퇴동맥 접근과 달리 LAO 30~45도 각도를 주고 촬영을 해야 카테터 진입이 수월해 진다. 하지만 좌측 요골동맥을 통한 접근의 경우 대퇴동맥과 같은 AP 0도 각도에서 촬영하면서 카테터를 진입한다. 요골동맥 혈관조영술이나 중재시술 시 이러한 특성이 있기 때문에 경로의 이해와 카테터의 선택이 접근 시 어려움을 극복하는 유용한 방법일 수 있겠다.

2　카테터 종류

기본적으로 카테터는 관상동맥내로 카테터를 진입시켜 조영제를 주사함으로써 협착, 폐색, 기형 등을 진단할 목적으로 만들어진 도관이다. 따라서 기본적인 모양과 규격을 가지고 있으며, 혈관 모양에 따라 변형된 형태로 여러 종류의 카테터를 사용할 수 있다. 카테터는 검사용 카테터와 시술을 위한 가이딩 카테터가 있다.

1) 검사용 카테터

관상동맥 조영술을 위한 카테터로 카테터를 통해 혈압 측정, 조영제 주사를 하여 관상동맥 병변을 확인하는 진단 목적으로 사용한다. 검사용 카테터는 일반적으로 다음과 같다(그림 3).

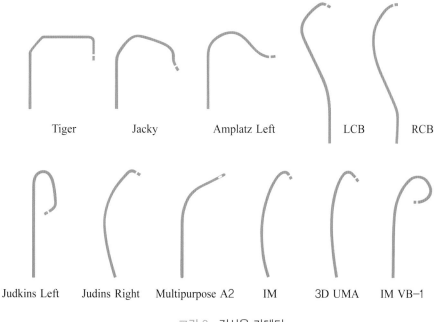

| Tiger | Jacky | Amplatz Left | LCB | RCB |

| Judkins Left | Judins Right | Multipurpose A2 | IM | 3D UMA | IM VB-1 |

그림 3. 검사용 카테터

Judkins 카테터가 기본 카테터로 사용되며 경우에 따라 Amplatz, Multipurpose 카테터 등도 사용된다. 시술자의 기술에 따라 좌측 Judkins 카테터를 이용하여 우관상동맥 촬영을 하여 1개의 카테터만 사용하는 경우도 있지만, Tiger II 카테터는 1개의 검사용 카테터로 좌, 우관상동맥 조영술을 할 수 있도록 만들어졌다(그림 4).

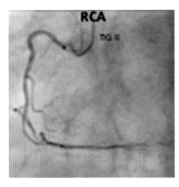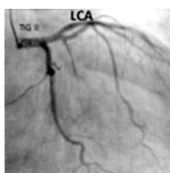

그림 4. Tiger II 검사용 카테터

2) 가이딩 카테터

시술용 가이딩 카테터의 경우 검사용 카테터와 마찬가지로 혈압 측정 및 관상동맥 촬영을 할 수 있을 뿐만 아니라 검사용 카테터와 비교해보면 샤프트가 더 견고하며 내경이 커서 시술을 위한 각종 기구들을 수월하게 전달되고 및 시술 중 기구들이 혈관 안에 견고하게 위치할 수 있도록 지지 역할을 한다. 그리고 검사용 카테터에 비해 밀어 넣거나(pushability) 일정한 위치에 넣기(trackability) 등이 좋다. 현재 1, 2차 커브의 각도, 길이, 모양, 내경의 굵기, 샤프트의 특성 등에 따라 현재 250여 가지 모양의 카테터가 존재한다(그림 5).

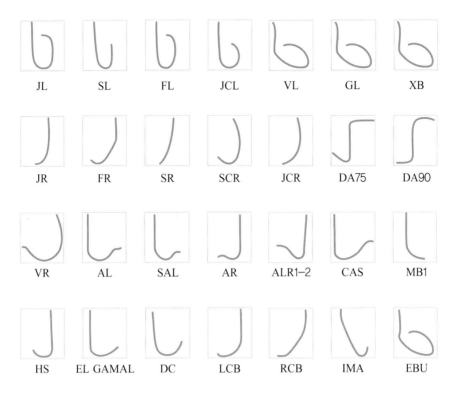

그림 5. 여러 모양의 카테터

① 카테터 구성

가이딩 카테터는 크게 허브(hub), 샤프트(shaft), 방사선비투과 팁(tip) 3부분으로 구성되어 있다(그림 6A). 허브는 가이딩 카테터의 시작부위로 Y 커넥터를 이용하여 여러 장치들과 연결하여 혈압을 측정하고 조영제, 각종 장비들이 들어가는 통로이며, 샤프트는 가이딩 카테터의 가장 많은 부분을 차지하는 부위로 견고하게 만들어져 시술을 안정되게 유지시켜준다. 그리고 방사선비투과 팁 부위는 관상동맥 기시부와 직접 맞닿는 부위로 모양에 따라 카테터의 진입을 수월하게 해주고 개구부의 손상을 최소화하며, 강한 지지력을 만들어 시술을 가능하게 하는 부위이다(그림 6B).

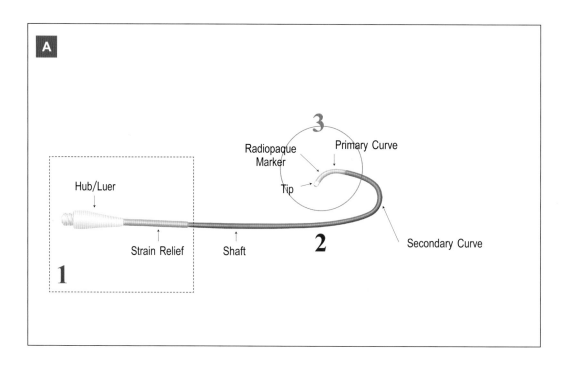

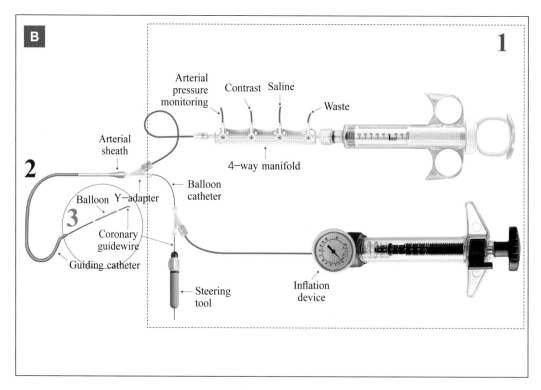

그림 2-6. 가이딩 카테터 구성 및 기능

② 카테터의 구조와 기능

구조에 따른 특성을 살펴보면 샤프트는 경직성을 부여하기 위하여, 가운데 wire braid가 있고, 그 안과 밖에 각각 내피와 외피 3층으로 구성되어 있다(그림 7).

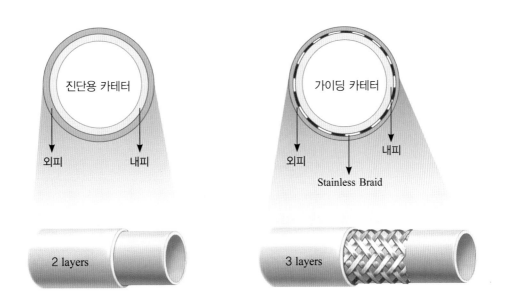

그림 7. 진단용 카테터와 가이딩 카테터 차이

꼰 형태(braiding)로 토크가 잘 전달되도록 하고, 카테터가 잘 꺾이지 않도록 하며, 방사선에 좀 더 잘 보이도록 하고 있다. 외피는 직접 혈관과 맞닿는 부분으로 제조회사에 따라 Polyether ester, Vestamid, Pebax 등으로 구성되며, 혈관과의 마찰을 줄이고, 카테터 굴곡을 유지할 수 있도록 하는 역할을 한다. 내피도 시술 기구가 좀 더 용이하게 지나갈 수 있도록 PTFE, Polyethylene, Silicone 등을 이용하여 제작되어 있다. 이상적인 가이딩 카테터의 경우 혈관의 굴곡 등을 감안하더라도, 카테터 허브와 원위부 팁간의 1:1 토크전달이 될 정도로 샤프트가 견고해야 한다. 토크를 줄 때 샤프트의 꼬임이 없어야 하고, 혈관 진입 시 입구에 손상을 입히면 안 되므로 팁의 경도도 고려 대상이 되어야 한다.

　　요골동맥을 이용한 중재술을 시도할 때 복잡 병변의 경우 혈관의 굴곡, 불충분한 지지력 등으로 인해 시술성공률이 낮다는 보고가 있어, 장점이 많음에도 불구하고 중재적 관상동맥 시술을 할 때 많은 시도가 이루어지지 않고 있다. 시술 결과를 살펴보면 요골동맥을 이용한 시술 성공률은 92.8%임에 반해, 대퇴동맥 중재술의 경우 97.6%로 높았다.[2] 요골동맥을 이용한 중재술의 경우 대개 6Fr 이하의 카테터로 시술이 이루어지며, 대퇴동맥을 통한 중재술의 경우 평균 1.2 ± 0.6개의 카테터를 사용한 것에 반해, 요골동맥을 이용한 중재술의 경우 1.4 ± 0.6(우관상동맥 시술), 1.6 ± 1.0(좌관상동맥 시술)개로 카테터를 더 사용하였다.[3] 따라서 요골동맥을 이용한 관상동맥 중재술에 있어 시술 성공을 위해 고려되어야 할 점으로는 시술을 해야 하는 병변이 좌측, 우측, 이식편 혈관인지, 관상동맥 입구의 위치 및 방향성은 일반적인지, 상행 대동맥의 크기는 정상범위인지 등이 시술 전에 고려되어야 한다. 그리고 병변의 굴곡, 석회화등 심한 정도에 따른 가이딩 카테터 지지력의 이해가 필요하다.

　　지지력은 가이딩 카테터 선택 시 중요한 요소 중의 하나로, 카테터 굵기와 모양에 따라 좌우된다. 시술할 병변의 특성에 따라 일반적인 지지력, 강한 지지력이 필요한 가이딩 카테터를 고르게 되는데 강한 지지력이 필요한 경우, 필요에 따라 시술자의 기술 및 조작이 필요하며 숙련도에 따라 혈관손상의 위험을 가지게 된다. 따라서 일반적인 병변의 경우 조작이 쉬운 가이딩 카테터를 고르는 것이 현명하며, 강한 지지력이 필요한 경우 환자 혈관의 해부학적 특징 및 기구의 이해에 따른 선택이 필요하다(그림 8).

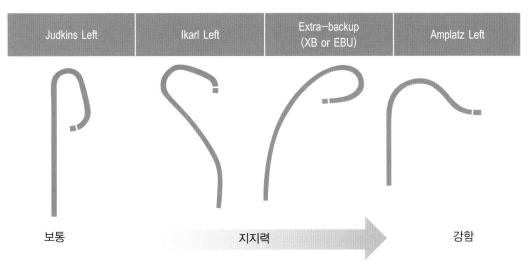

| Judkins Left | Ikarl Left | Extra-backup (XB or EBU) | Amplatz Left |

보통   지지력   강함

그림 8. 가이딩 카테터 종류에 따른 지지력

특히 복잡병변에 대한 관상동맥 중재술 성공을 위해 가이딩 카테터의 지지력이 중요한 요소인데, 지지력은 굵기와 모양에 따라 달라진다. 이외 카테터 지지력에 영향을 미치는 요인으로 좌관상동맥 시술 시 카테터와 상행 대동맥의 동축 방향성의 길이 및 각도에, 우관상동맥 시술 시에는 팔머리 동맥의 각도와 상행 대동맥의 거치 정도에 따라 지지력이 영향을 받게 된다.

1) 굵기 선택

요골동맥을 이용한 중재적 관상동맥 시술에 있어 체격, 성별에 따른 요골동맥의 크기가 다르므로 기구 선택에 있어 신중한 선택이 필요하다.[4] 그리고 병변 길이가 길거나, 석회화, 혈관의 굴곡, 분지병변, 만성 폐쇄성 병변은 복잡 병변으로 강한 지지력이 필요하기 때문에, 기구 선택시 카테터 지지력을 고려하여 굵기, 종류, 굴곡의 크기 등이 고려되어야 한다. 특히 가이딩 카테터의 굵기 선택이 시술성공에 중요한 요소이다. 일반적으로 가이딩 카테터의 굵기가 작을수록 혈관의 접근성은 높을 수 있으나 지지력 등이 낮아 복잡병변에 적합하지 않고, 굵기가 큰 경우는 강한 지지력을 얻을 수 있으나 요골동맥의 굵기에 따른 제한이 있기 때문이다. 카테터 굵기가 큰 가이딩 카테터는 강한 지지력 외에도 회전죽종절제술 같은 큰 기구를 삽입하기 용이하고, 복잡시술이나 만성폐색 병변의 시술에서 장점을 가지고 있다. 하지만 요골동맥이라는 특수성으로 인하여 제한이 따른다. 즉, 환자 요골동맥 대비 큰 굵기의 가이딩 카테터를 사용하게 된다면, 지지력은 높아지겠지만 혈관 손상의 위험이 높아지면서 출혈, 박리 등의 합병증이 발생할 수 있겠다. 즉, 혈관 크기가 작고, 경로가 다름으로 인해 발생할 수 있는 여러 가지 제한점과 문제점들이 있다. 따라서 적절한 굵의 카테터 선택이 중요하다.

최근에는 시술에 사용되는 도구들이 작고, 정교하게 제작이 되어 이전과 비교 시 쉽고 안전하게 적용할 수 있게 되었다. 길이는 대개 100 cm로 일정하나, 크기는 여러 종류가 있다. 그 크기를 표시할 때 Fr라는 단위를 사용하는데 1 French (Fr)는 0.33 mm로 표기한다. 유도초의 크기는 내경을, 가이딩 카테터의 경우 외경을 크기의 기준으로 하므로 5Fr 유도초는 5Fr 내경의 굵기를 가지고, 5Fr 가이딩 카테터는 5Fr 외경의 굵기를 가지게 된다. 최근에는 같은 외경의 카테터라도 내경을 크게 확보하여 좀 더 복잡한 시술이 가능하도록 제작되고 있다. 일반적인 병변의 풍선확장술, 스텐트 시술에는 5Fr 가이딩 카테터면 충분하다. 이외 분지병변으로 Kissing ballooning, 석회화 병변으로 1.5 mm의 회전죽종절제술 사용이 필요한 경우에는 6Fr 가이딩 카테터, Kissing stenting이 필요한 경우 7Fr 가이딩 카테터가 필요하다(표 1).

표 1. 카테터 굵기에 따른 사용가능 기구와 시술법

굵기	사용가능 기구	Kissing ballooning	Kissing stenting
5F	• 풍선 ≤ 5 mm • 스텐트 ≤ 4.5 mm • 혈관내 초음파 일부* • 절개풍선(Cutting balloon) 2.5 mm • Rotablator 1.25 mm	어려움	어려움
6F	• 모든 사이즈의 풍선 • 모든 사이즈의 스텐트 • 혈관내 초음파 • Optical coherence tomography • 절개풍선 (Cutting balloon) >2.5 mm • Rotablator ≤ 1.5 mm • Thrombectomy devices • Saphenous vein graft protection devices • Mother-child • GuideLiner	가능	어려움
7F	• Rotablator >1.75 mm	가능	가능

* Eagle Eye catheter, Volcano Corporation, San Diego, CA; OptiCross coronary imaging catheter, Boston Scientific Corporation, Natick, MA

요골동맥 중재술에서 가장 흔히 사용되는 6Fr 가이딩 카테터 사용 시 제한점은 가이딩 카테터의 직경이 작아 1.75 mm 이상의 rotablator burr의 사용, 동시에 마이크로 카테터와 같은 여러 가지 기구들의 사용이 어렵고, 7, 8Fr 가이딩 카테터보다 지지력이 약해, 사행성이나 석회화가 심한 병변인 경우, 시술 관련 기구들이 병변까지 진입이 어려울 수 있다. 하지만 굵기가 큰 가이딩 카테터를 사용하려면 유도초가 들어갈 수 있는 혈관의 크기가 확보되어야 하는데, 유도초의 경우 크기를 내경으로 나타내기 때문에 7Fr 가이딩 카테터를 사용하려면, 카테터보다 큰 유도초 들어갈 정도로 요골동맥이 커야 하기 때문에 경우에 따라서 사용하기 어려운 경우가 발생한다.

2) 혈관에 따른 모양 선택

가장 보편적인 카테터는 Judkins, Amplatz, and Extra back-up 가이딩 카테터이며, 이외 이식편 혈관의 경우 Multipurpose 카테터를 우관상동맥 이식편, 좌주간지가 high takeoff인 경우 사용할 수 있으며, LIMA 카테터는 좌, 우측 내유방동맥에 사용한다.

① 좌관상동맥 중재술

좌관상동맥 중재술에서는 XB, EBU, Judkins 카테터가 주로 사용된다(그림 9). 그러나 일반 크기의 대동맥에서 JL 4.0 카테터를 사용하게 될 경우 2차 굴곡이 상행 대동맥 위에 위치하게 되어 대퇴동맥 시술에 사용할 때보다 1.6배 낮은 지지력을 보인다. 따라서 요골동맥 중재술의 경우 0.5 cm 작은 크기의 카테터를 사용하거나 깊게 진입시키는 것이 좋다. Judkins 카테터는 복잡하지 않거나, 좌주간지 병변 같이 지지력을 많이 요구하지 않는 병변에 주로 사용하게 된다. EBU 카테터의 경우에도 Judkins 카테터와 마찬가지로 대퇴동맥 시술에서 사용하는 것 보다 0.5 cm 작은 크기의 카테터를 사용하는 것이 좋다. 그러나 좌주간지가 짧은 경우 좌전하행지 혹은 좌회선지로 깊이 삽입될 수 있는데, 이런 경우 AL 1.5 혹은 2.0을 사용하면 이런 현상을 피할 수 있다.

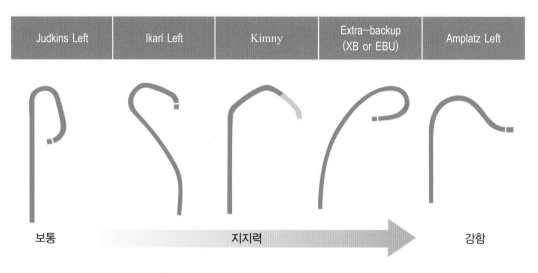

| Judkins Left | Ikarl Left | Kimny | Extra-backup (XB or EBU) | Amplatz Left |

보통 　　　　　　　　　　　　　지지력 　　　　　　　　　　　　　강함

그림 9. 좌관상동맥 요골동맥 중재술 가이딩 카테터 종류와 지지력

② 우관상동맥 중재술

우관상동맥 중재술에서 Judkins나 Amplatz 카테터가 주로 사용된다. 비록 지지력이 약하지만 Judkins 카테터를 이용하여 단순병변이나 개구부 병변에 시술이 가능하다. 강력한 지지력을 요하는 경우에는 Ikari right, Fajadet right, MAC curve를 사용하면 더욱 강한 수동 지지력을 얻을 수 있다. 하지만 이런 카테터를 사용할 경우 조작 중에 우관상동맥 첨판(cusp)이나 개구부에 박리를 일으킬 수 있으므로 주의가 필요하다(그림 10).

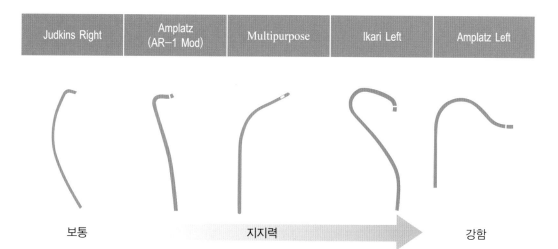

| Judkins Right | Amplatz
(AR-1 Mod) | Multipurpose | Ikari Left | Amplatz Left |

보통   지지력   강함

그림 10. 우관상동맥 요골동맥 중재술 가이딩 카테터 종류와 지지력

③ 관상동맥 우회술 혈관 이식편(graft) 중재술

관상동맥 우회술을 받은 환자의 경우 동맥 이식편 혹은 정맥 이식편을 대동맥을 통해 연결을 해놓았기 때문에, 일반적인 카테터로 조영술을 하기에 어려운 점이 많다. 이러한 경우 그림에서와 같이 Judkins 카테터 외에도 Amplatz, Multipurpose, hockey stick, Tiger 등의 카테터가 사용된다. 관상동맥 우회술 환자의 경우 검사 전 수술 기록을 참고하여 양측 내유방동맥 사용 유무에 따라 카테터 종류가 결정된다(그림 11).[5]

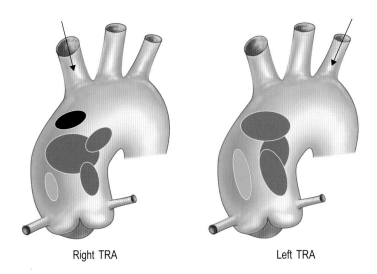

Right TRA   Left TRA

Judkins Right or Multipurpose

Amplatz Left or Tiger (Judkins left or Mutipurpose from left TRA)

Amplatz left, Hockey Stick, Extra backup

그림 11. 관상동맥 우회술 이식편 위치에 따른 가이딩 카테터 종류

대동맥에 위치한 정맥 이식편이나 요골동맥 이식편이 경우, 우측 요골동맥으로 접근하면 팔머리동맥과 이식혈관이 너무 가까워 카테터를 진입시키기 어려운 경우가 많다. 따라서 좌측 요골동맥을 통한 접근이 유리하며 이후 JR, LCB, AL, MP 카테터를 이용하여 시술을 진행하는 것이 용이하다.

3) 접근 위치에 따른 가이딩 종류

복잡한 병변의 시술에서 강한 지지력으로 요골동맥을 통한 중재술을 할 때, 일반적으로 좌관상동맥 병변에 대해서는 우측 요골동맥 접근법이 사용되고, 우관상동맥 병변에 대해서는 좌측 요골동맥 접근법이 선택될 수 있다.

① 우측 요골동맥을 이용한 중재술

우측 요골동맥을 이용한 접근 시 일반적인 JL, JR 카테터로 관상동맥 입구의 접근이 가능하나, 무명동맥과 대동맥활의 접합부의 위치나 각도의 이상이 있으면 카테터가 상행 대동맥으로 진입하거나 관상동맥 입구까지 도달하는 데 어려움이 있을 수 있다. 원인은 무명동맥이나 상행 대동맥이 확장되어 있기 때문이며, 그 각도의 이상 정도에 따라 카테터의 모양이 Z모양, 롤러코스터 모양 등으로 변형된다. 이런 경우 일반적인 JL, JR 카테터로 관상동맥 입구의 접근이 안될 때, Amplaz left 카테터를 이용해서 좌관상동맥 혹은 우관상동맥 입구에 진입시키는 것이 가능할 수 있다. 보통 우측 요골동맥을 이용한 시술의 경우 대퇴동맥 시술에 사용하는 카테터를 그대로 사용할 수 있으나, 일반적으로 지지력이 떨어지는 경우가 많아 드물게 Ikari, Kimny, Power Backup, Fajadet 카테터와 같이 우측 요골동맥을 이용한 중재술에 특화되어 개발된 카테터를 사용할 수 있다. 이들 카테터의 특징은 팁이 길고, 팔머리동맥과 상행 대동맥의 각도를 고려하여 개발되어 수동 지지력을 향상시켰다.

② 좌측 요골동맥을 이용한 중재술

좌측 요골동맥을 이용한 접근 시 쇄골하동맥과 대동맥활의 접합부의 위치나 각도의 이상이 있으면 sigma모양의 카테터 주행경로가 될 수 있으며, 이런 경우 일반적인 JL, JR 카테터로 관상동맥 입구의 접근이 안될 때, Amplaz left 카테터를 이용해서 좌관상동맥 혹은 우관상동맥 입구에 진입시키는 것이 가능할 수 있다. 대개 좌측 요골동맥을 이용한 시술의 경우 대퇴동맥 시술에 사용하는 카테터를 그대로 사용할 수 있다.

4) 기타

① 곁구멍 카테터

가이딩 카테터에서 같은 모양과 크기에서 곁구멍(side hole)이 있는 가이딩 카테터도 있는데, 일반적으로 곁구멍이 없는 카테터를 사용하지만, 혈관 입구의 병변 혹은 연축으로 인해 압력감쇠(damping pressure)를 보이는 경우, 만성 폐쇄성 병변, 좌주간지 병변에서 곁구멍이 있는 가이딩 카테터를 사용한다. 큰 사이즈 카테터를 사용하는 경우 혈관 내 관류를 안정되게 유지하기 위해 곁구멍이 있는 카테터를 사용하는 것이 좋겠다.

② 무유도초 가이딩 카테터

복잡 병변의 시술 시 7Fr 이상의 큰 가이딩 카테터를 요하는 경우 요골동맥의 크기제한
으로 인해 6Fr 이상의 유도초를 사용하기 어려운 경우가 발생한다. 이런 경우를 극복하
기 위해 최근 무유도초 가이딩 카테터가 개발 되어 Eaucath (sheathless Eaucath, Asahi
Intecc®, Japan)가 상용화되었다. 겉표면이 친수성 성분으로 된 가이딩 카테터와 중앙 확
장기로 구성되어 있고, 크기는 6.5Fr 무유도초 가이딩 카테터의 경우 외경은 5Fr 유도초
보다 작다. 7.5Fr 무유도초 가이딩 카테터의 외경은 2.49 mm로 6Fr 유도초보다 작고, 내
경이 2.06 mm로 기존 7Fr 가이딩 카테터보다 내경은 넓어 거의 모든 병변 시술이 가능
하다. 복잡시술의 경우 요골동맥 크기의 제한이 있어 굵은 가이딩 카테터가 필요한 경우
7Fr 이상인 경우 제한이 따르기 때문에 이러한 경우 무유도초 가이딩 카테터 선택이 대안
이 될 수 있다.

4 맺음말

요골동맥을 이용하는 혈관 조영술이나 중재시술®은 대퇴동맥을 이용하는 경우보다 출혈 합
병증의 비율이 낮고, 장시간 침상안정의 불편함을 줄여 주고, 입원기간을 단축시키는 장점이
있다. 또한, 최근 시술에 사용되는 기구의 크기가 작아지고, 새로운 기구들의 개발로 요골동
맥을 이용한 혈관 조영술과 중재시술이 과거에 비해 보편화되는 추세이다. 하지만, 요골동맥
을 이용한 중재술에 있어 가이딩 카테터의 진입 및 지지력이 시술 성패를 가르기 때문에 가이
딩 카테터 선택이 매우 중요하다. 대부분 대퇴동맥을 이용한 중재술에 사용되는 기구들을 사용
할 수 있지만, 혈관의 주행상태 및 병변에 따라 요골동맥 중재술 전용 가이딩 카테터의 선택도
도움이 많이 된다. 최근 만성 폐쇄성 병변, 분지병변, 심한 석회화로 회전죽종절제술가 필요한
복잡 병변의 시술 등 내경이 큰 가이딩 카테터 시술이 필요한 경우, 무유도초 가이딩 카테터를
사용할 수 있음을 기억해두면 도움이 되겠다.

참고문헌

1. Agostoni P, Biondi-Zoccai GG, de Benedictis ML, et al. Radial versus femoral approach for percutaneous coronary diagnostic and interventional   procedures; Systematic overview and meta-analysis of randomized trials. J Am Coll Cardiol. 2004;44:349–56.

2. Dehghani P, Mohammad A, Bajaj R, et al. Mechanism and predictors of failed transradial approach for percutaneous coronary interventions. J Am Coll Cardiol Intv 2009;2:1057–64.

3. Saito S, Ikei H, Hosokawa G, Tanaka S. Influence of the ratio between radial artery inner diameter and sheath outer diameter on radial artery flow after transradial coronary intervention. Catheter Cardiovasc Interv 1999;46: 173-8.

4. Burzotta F, Trani C, Hamon M, et al. Transradial approach for coronary angiography and interventions in patients with coronary bypass grafts: tips and tricks. Catheter Cardiovasc Interv. 2008;72:263-72.

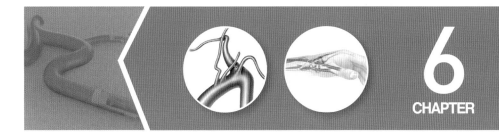

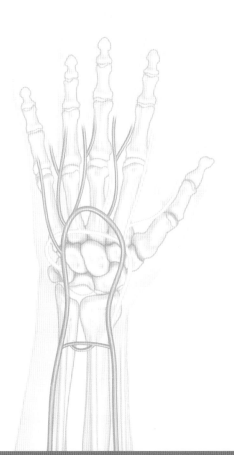

6
CHAPTER

요골동맥에서 심장까지 접근이 어려울때
극복하는 방법

Overcome vessel tortuosity from
radial artery to heart

요골동맥에서 심장까지 접근이 어려울때 극복하는 방법

Overcome vessel tortuosity from radial artery to heart

양산부산대학교병원 전국진
연세원주의대 원주세브란스기독병원 이승환

1. 서론

요골동맥을 이용한 관상동맥 중재술은 해부학적 이상이 없는 경우 상행 대동맥까지 카테타가 어렵지 않게 접근할 수 있지만, 그렇지 않은 경우에는 몇 가지 특별한 기술이 필요하다. 해부학적 이상을 알기 위하여 유도초를 이용한 요골동맥 혈관 조영술을 일상(routine) 하고 나서 시술을 할 수도 있지만, 방사선 노출과 불필요한 조영제 사용으로 인한 팔의 통증등이 있음으로, 일상적인 혈관 조영술을 권고하지는 않는다. 하지만 가이드 와이어의 진입 시 저항을 느끼면 반드시 유도초를 이용한 요골동맥 조영술을 시행하여 해부학적 이상여부를 확인해야 한다

2 요골동맥에서 진행이 어려울 때

해부학적 구조가 정상인 경우 가이드 와이어가 저항 없이 잘 진행한다. 하지만 가는 요골동맥, 요골동맥의 연축, 요골동맥의 루프(loop)가 있는 경우 진행이 어렵다.

1) 가는 요골동맥(그림 1, 2)

가이드 와이어가 유도초를 통하여 진입이 잘 되지 않는 경우, 유도초를 통하여 요골동맥 조영술을 시행한다. 가는 요골동맥이 관찰되면, 요골동맥 내로 혈관내 니트로글리세린이나 Verapamil을 주입 후 충분히 기다린 후 다시 확인한다. 일반적인 0.035" 표준 가이드 와이어의 통과가 어려운 경우 친수성 가이드 와이어를 이용하거나, 0.014" 크기의 관동맥 중재술용 가이드 와이어를 이용하여 이전에 찍어 놓은 조영술을 기준으로 하여 토크를 사용하여 조심스럽게 조작하여 상완동맥까지 전진시킨 후 카테터를 진행한다. 무리하게 카테터를 진입하는 경우 혈관의 박리, 파열(그림 3)이 발생할 수 있으므로 왼손으로 혈관의 저항을 느끼면서 아주 천천히 진입한다.

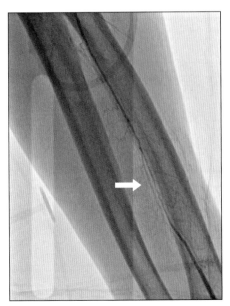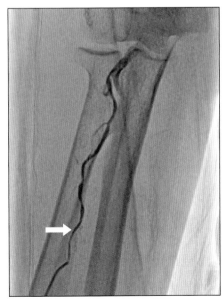

그림 1. 전체적으로 가는 요골동맥

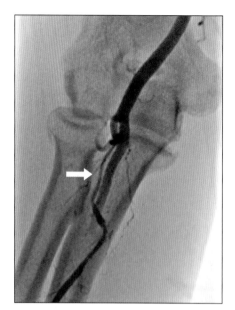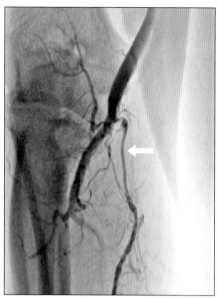

그림 2. 일부가 가는 요골동맥

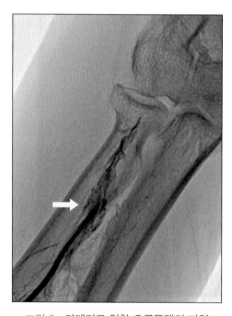

그림 3. 카테터로 인한 요골동맥의 파열

2) 요골동맥의 연축(그림 4-5)

연축은 여러 가지 원인으로 발생할 수 있으나, 대부분 환자의 교감신경이 항진하는 경우 발생한다. 그러므로 시술을 시작할 때부터 통증을 최소화할 수 있도록 국소마취를 잘하고, 피부

천자를 한번에 성공할 수 있도록 노력한다. 환자와 교감하여 불안감을 없애 주고, 안심시키는 것이 중요하다. 요골동맥 안에서 카테터의 지나친 조작이 연축을 유발함으로 카테터를 많이 조작하지 않고, 상완동맥으로 전진하도록 한다. 필요한 경우 연축을 완화시키는 약물(니트로글리세린, Verapamil)을 동맥내로 주입하고, 1분 정도 이후 카테터의 전진을 시도한다.

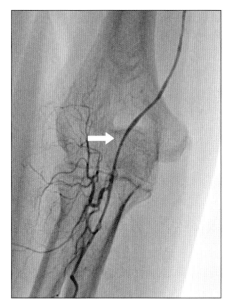 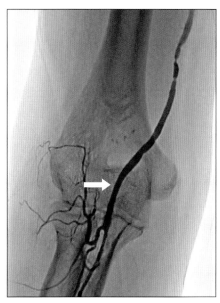

그림 4. 요골동맥 연축   그림 5. 혈관내 니트로글리세린 정주 후, 혈관이 확장된 상태

3) 요골동맥의 루프(loop)

요골동맥이 상완동맥과 만나는 팔꿈치 부위에 가끔 만나게 된다. 방사선 투시 없이 가이드 와이어를 전진할 때 팔꿈치 부위에서 더 이상 전진을 안되는 경우, 혈관 조영술을 하면 발견할 수 있다. 직경이 작은 경우에는 가이드 와이어를 이용하여 루프를 풀고 나서 카테터가 전진할 수도 있으며(그림 6-9), 경우에 따라 통과되더라고 루프가 풀리지 않은 경우 4Fr 카테터를 최대한 통과시키고, 가이드 와이어와 카테터를 살짝 당기면 루프가 풀릴 수 있다(그림 10-13). 하지만 직경이 큰 경우(그림 14) 루프가 풀리지도 않고 풀리더라도 심한 통증과 혈관의 연축이 동반되어 시술을 지속하기가 어렵다. 이러한 경우 무리하지 말고 반대쪽 요골동맥이나 대퇴동맥을 이용하여 시술을 하는 것이 좋다.

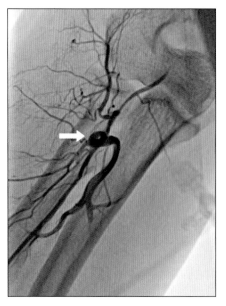

그림 6. 요골동맥의 루프

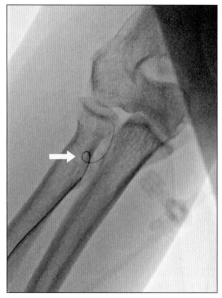

그림 7. 0.014 가이드 와이어로 전진

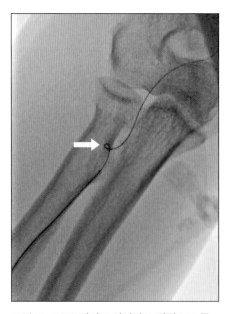

그림 8. 0.014 가이드 와이어로 전진으로 루프가 풀리는 과정

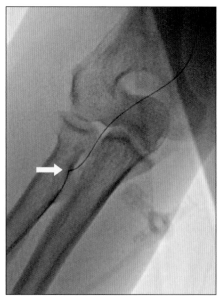

그림 9. 0.014 가이드 와이어의 전진으로 루프가 완전히 풀림

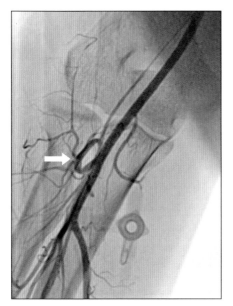

그림 10. 요골동맥의 loop

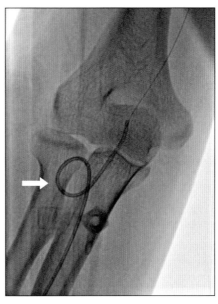

그림 11. 0.014 가이드 와이어 통과 후 4Fr
카테터의 통과

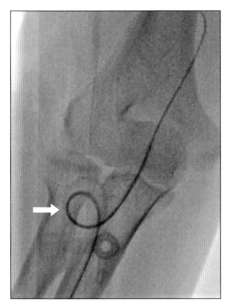

그림 12. 카테터를 당기는 과정

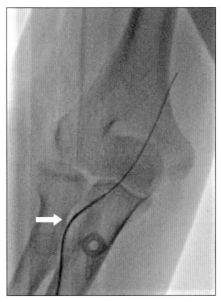

그림 13. 요골동맥의 루프가 풀리는 모습

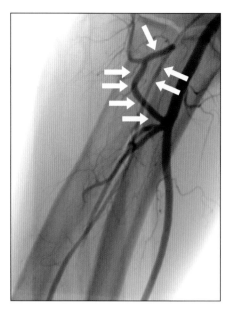

그림 14. 요골동맥 루프가 큰 경우

3 상완동맥에서 진행이 어려울 때

요골동맥과 상완동맥의 연결 부위의 협착, 연축, 이상 상완동맥(aberrant brachial artery), 상완동맥의 루프(loop)인 경우 진행이 어렵다.

1) 요골동맥과 상완동맥의 연결 부위의 협착, 연축

요골동맥은 팔꿈치 부위에서 척골동맥과 만나서 상완동맥으로 연결된다. 방사선 투시 없이 가이드 와이어를 통하여 4Fr의 카테터는 상행 대동맥까지 쉽게 전진이 가능하나, 시술을 위하여 6Fr 카테터를 전진할 경우 가끔 팔꿈치 부위에서 진행의 어려움과 함께 환자가 갑자기 심한 통증을 호소하게 된다. 이러한 경우 조영술을 시행하면 요골동맥과 상완동맥이 만나는 혈관이 매우 가는 경우를 발견하게 된다(그림 15). 이러한 경우 카테터를 무리하게 전진하면 혈관의 파열로 인한 심각한 합병증이 발생할 수 있다(그림 16). 그러므로 큰 카테터를 진입하는 경우 팔꿈치 부위까지는 천천히 좌우로 돌리면서 왼손으로 저항을 느끼면서 조심스럽게 시행하는 것이 중요하다. 만일 카테터가 약간의 저항으로 인하여 전진이 어려우면, 더 이상 진입을 하지 말고, 혈관 조영술을 시행한 후 해부학적 이상을 확인한다. 6Fr 가이딩 카테터로 인한 상완동맥의 연축을 줄일 수 있는 한 방법으로 6Fr 가이딩 카테터보다 15 cm가 긴 115 cm 길이의 4Fr 카테터를 0.035" 가이드 와이어와 함께 6Fr 카테터 안에 넣어 사용하기도 한다(그림 17).

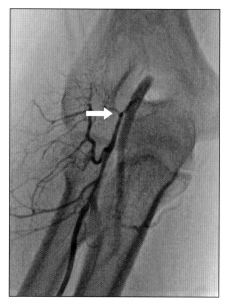

그림 15. 상완동맥 연결 부위 직전의 가는
요골동맥

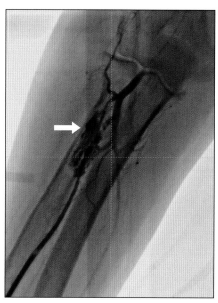

그림 16. 카테터로 인한 요골동맥의 파열

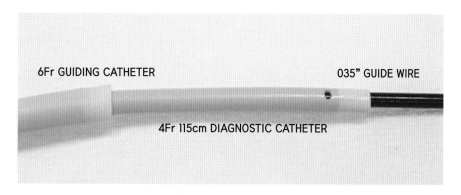

그림 17. 6Fr 가이딩 카테터(전장; 100 cm) 내 4Fr 진단용 카테터(전장; 115 cm)

2) BAT (Balloon-Assisted Tracking) 테크닉(그림 18-21)

혈관 조영술로 혈관의 협착이나 연축을 확인하고, 카테터는 협착 부위 근위부에 위치한다. 관동맥 중재술용 0.014" 가이드 와이어를 이용하여 요골동맥에서 상완동맥으로 전진시킨다. 카테터 크기에 따라 1.55 mm (5Fr), 2.0 mm (6Fr), 2.5 mm (7Fr) 풍선 카테터를 카테터 tip에서 약 5 mm 정도 나오도록 위치한 후 5 atm 정도 확장한 후 카테터를 풍선 카테터와 함께 좁아져 있는 혈관을 통과하도록 한다. 풍선 카테터가 혈관벽과 카테터 tip 사이의 저항을 줄여 줌으로써 쉽게 통과하도록 한다.

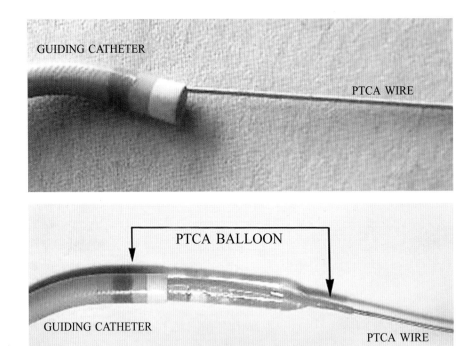

그림 18. BAT (Balloon-Assisted Tracking) 테크닉

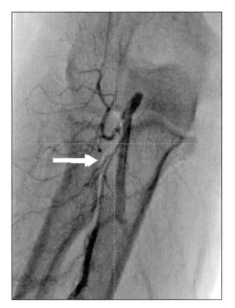

그림 19. 가는 요골동맥

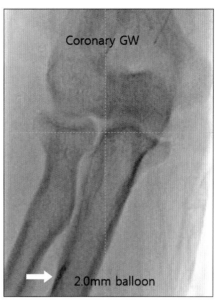

그림 20. BAT 테크닉

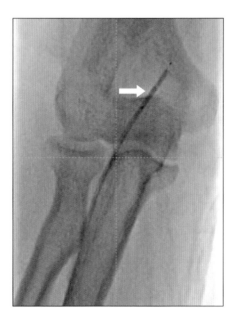

그림 21. 풍선카테터와 카테터를 같이 전진하여 좁은 부위를 통과

3) 이상 상완동맥(aberrant brachial artery)(그림 22-23)

해부학적 이상으로 주 상완동맥 이외에 아주 작은 상완동맥이 요골동맥에서 기시하는 경우가 있다. 요골동맥 루프와 동반되는 경우가 많고, 4Fr 카테터는 이상 상완동맥을 통과할 수 있으나, 6Fr 이상의 큰 카테터는 통과하지 않고, 혈관 파열을 초래한다(그림 24). 다시 한번 이야기 하지만, 팔꿈치 위치까지 전진할 때는 아주 천천히 왼손으로 저항을 느끼면서 전진하고, 이때 좌우로 카테터를 돌리면서 진행하는 것이 중요하다. 혈관조영술에 따라 0.014" 가이드 와이어를 이용하여 주 상완동맥을 찾아 카테터를 진행할 수 있으며, 여의치 않은 경우 5Fr 가이딩 카테터를 이용하여 이상 상완동맥을 통하여 시술을 할 수도 있다. 만일 6Fr 이상의 큰 카테터가 필요한 경우, 시술자의 판단에 따라, 다른 루트를 확보할 수 있다. 이상 상완동맥에서 카테터의 진행이 어려운 경우 BAT을 이용하면 해결할 수 있다(그림 25-27).

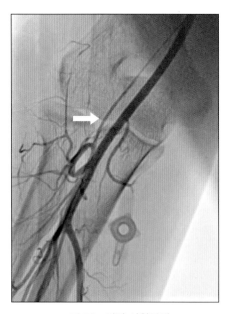

그림 22. 이상 상완동맥

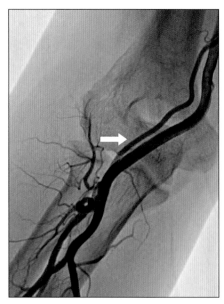

그림 23. 이상 상완동맥

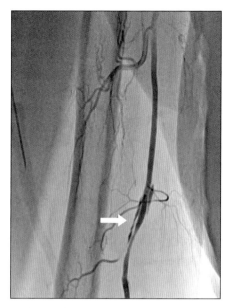

그림 24. 이상 상완동맥에서 카테터로 인한 혈관 박리

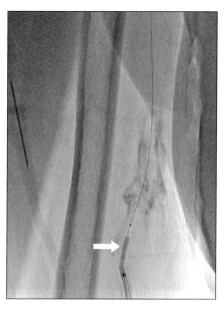

그림 25. BAT 테크닉

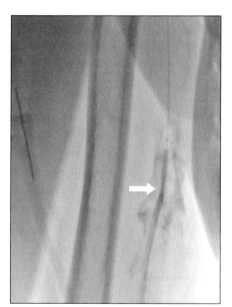

그림 26. BAT을 이용하여 이상 상완동맥을 통과

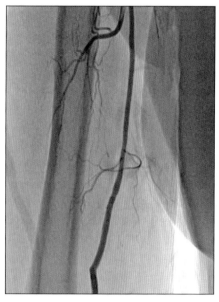

그림 27. BAT을 이용하여 스텐트 시술 후 추적 조영술 : 이전에 보이던 혈관 박리는 소실됨

4) 상완동맥의 루프(loop)(그림 28)

흔하지는 않지만 가끔 만날 수 있는데, 일반적인 0.035" J tip 가이드 와이어는 너무 딱딱하여 루프가 풀리지 않는다. 0.035" Terumo 가이드 와이어가 덜 딱딱하여, 가능하면 깊게 진입을 하고 카테터를 최대한 진입시킨 후 카테터를 조금 당기면 루프가 풀리게 된다. 한번 더 강조하지만 카테터를 더 밀어넣는 것이 아니라 최대한 진입한 상태에서 오히려 당겨야 루프가 풀리게 된다(그림 29-31).

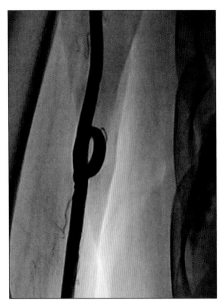

그림 28. 상완동맥의 루프(loop)

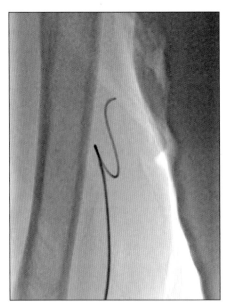

그림 29. 0.035" 표준 가이드 와이어로 더 이상 전진 안됨

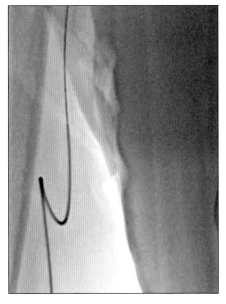 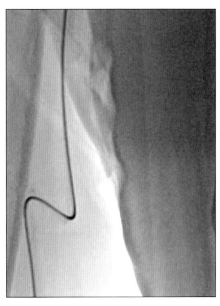

그림 30. 친수성 가이드 와이어로 최대한 진입한 후 카테터를 최대한 진입한다.

그림 31. 카테터를 조금 당기면 루프가 풀린다.

4 쇄골하동맥에서 진행이 어려울 때

1) 쇄골하동맥의 굴곡(tortuosity)(그림 32)

고령, 여자, 체중이 60kg 이하인 경우(한국에서 흔히 만날 수 있는 신체가 작은 고령의 할머니) 흔히 만나게 되고, 요골동맥을 이용한 시술을 실패하는 가장 흔한 원인이다. 방사선 투시하에 기구를 조작하는 것이 매우 중요하다. 진행이 어렵다고 딱딱한 가이드 와이어를 주의하지 않고 사용하는 경우 주변 혈관의 박리가 발생할 수 있다(그림 33). 상행대동맥으로 기구를 전진할 때 깊게 숨을 들이쉬는 것이 중요하다(그림 34-37). 쇄골하의 굴곡이 심한 경우 카테타를 계속 밀어넣기보다는 오히려 살짝 당기면 굴곡이 펴지면서 상행대동맥으로 진입이 되는 경우도 있다.

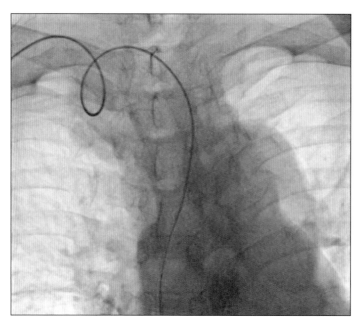

그림 32. 카테터를 조금 당기면 루프가 풀린다.

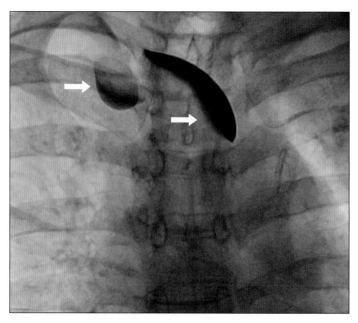

그림 33. 가이드 와이어로 인한 쇄골하동맥의 박리

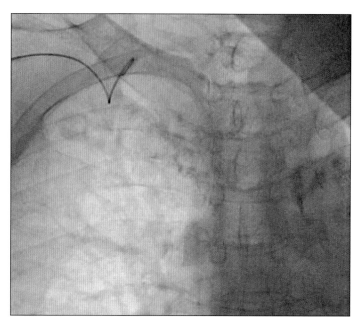

그림 34. 꼬부라진 우 쇄골하동맥에서 가이드 와이어 진입의 어려움

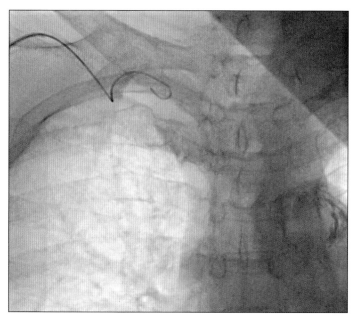

그림 35. 깊게 숨을 들이쉰 상태에서 가이드 와이어의 전진

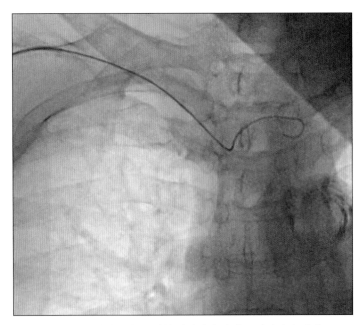

그림 36. 깊게 숨을 들이쉰 상태에서 가이드 와이어의 전진

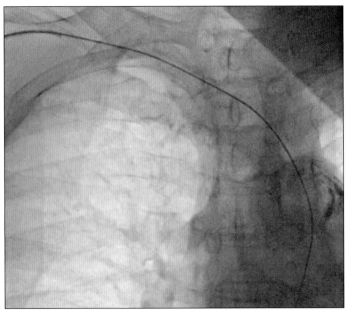

그림 37. 깊게 숨을 들이쉰 상태에서 가이드 와이어의 전진

대동맥 활에서 진행이 어려울 때

1) 심하게 늘어난 상행 대동맥

조절 안 되는 고혈압이 있거나 대동맥 판막 질환이 오래된 경우 대동맥 활로 접근은 가능하나, 하행대동맥 쪽으로 잘 들어간다. 이러한 경우 깊게 숨을 들이쉬면서 카테터를 진입하면 상행대동맥으로 넣기가 쉽다(그림 38).

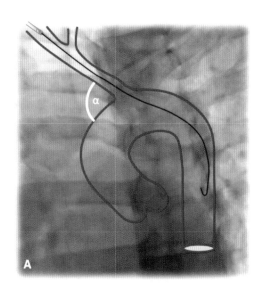 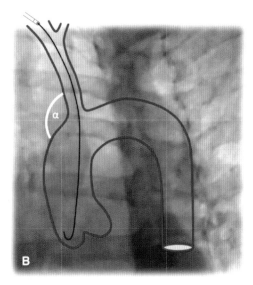

그림 38. A : 호기 상태에서 팔머리동맥(brachiocephalic trunk)과 상행 대동맥의 각도가 예각이 되어 가이드 와
이어가 하행대동맥으로 잘 진입함.
B : 최대 흡기 시에 둔각이 되어 상행 대동맥으로 잘 진입함.

2) Arteria Lusoria (그림 39)

선천성 기형으로 우 쇄골하동맥이 좌쇄골하동맥 아래에서 기시하고, 식도 뒤를 돌아 오른쪽으로 주행한다. 이러한 경우 카테터가 상행대동맥에 진입하기가 어렵고 진입하더라도, 관동맥 입구까지 거리가 멀어 기존의 방법으로 카테터를 관동맥 삽입하기가 매우 어렵다.

① 일반적으로 하행대동맥으로 잘 빠지기 때문에 깊게 숨을 들이 쉰 상태에서 가이드 와이어를 조작하여 상행대동맥으로 진입한다(그림 40~42).

② AP보다 LAO 40도에서 가이드 와이어를 조작하는 것이 상행 대동맥으로 진입하는 데 도움이 된다.

③ 상행대동맥으로 진입할 때는 딱딱한 가이드 와이어보다는 친수성 가이드 와이어(Terumo)가 더 도움이 된다.

④ 일단 상행대동맥에 카테터가 진입을 한 경우 다시 0.035" J tipped 가이드 와이어를 이용하여 카테터를 조작한다.

⑤ 흔히 사용하는 Judkin 카테터는 길이가 짧고, 정렬이 맞지 않아 Amplatz 형태의 카테터가 관상동맥 삽입술에 더 유리하다.

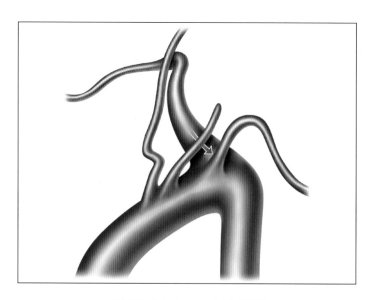

그림 39. Arteria Lusoria의 모식도

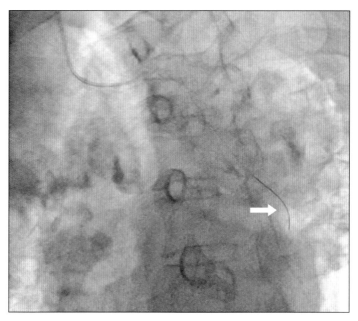

그림 40. LAO 40도에서 가이드 와이어가 하행대동맥으로 진입함.

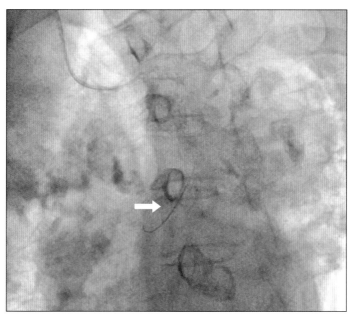

그림 41. 깊게 숨을 들이마신 상태에서 가이드 와이어로 상행대동맥으로 전진함.

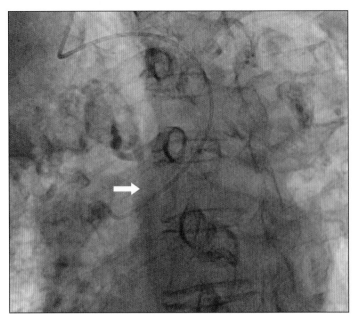

그림42. 가이드 와이어를 따라 카테터를 상행대동맥으로 전진

6 맺음말

　요골동맥을 이용한 관상동맥 중재술은 말초혈관의 해부학적 이상이 없는 경우 쉽게 시술할 수 있으나, 그렇지 않은 경우 특별한 기술이 필요하다. 저항이 있는 경우 절대로 무리해서 밀어넣지 말고, 필요한 경우 혈관 조영술을 실시하고, 그 해부학적 이상에 따라 해결을 하도록 한다. 상행대동맥에 접근할 때는 일상적으로 깊게 숨을 들이쉰 상태에서 기구의 진입을 시도한다. 시술자의 판단에 따라 무리가 있다고 판단될 경우 중단하고, 반대쪽 요골동맥이나 대퇴동맥을 이용하는 것을 추천한다.

참고문헌

1. Kiemeneij F. Prevention and management of radial artery spasm. J Invasive Cardiol. 2006;18:159–60.

2. Patel T, Shah S, Pancholy S, et al. Patel's Atlas of Transradial Intervention: The Basics and Beyond. 1st Ed. Malvern, PA ; 2012; 37–60.

3. Barbeau G. Radial loop and extreme vessel tortuosity in the transradial approach: advantage of hydrophilic-coated guidewires and catheters. Catheter Cardiovasc Interv. 2003; 59:442–50.

4. Patel T, Shah S, Pancholy S. Balloon-assisted tracking of a guide catheter through difficult radial anatomy: a technical report. Catheter Cardiovasc Interv. 2013;81: E215–8.

5. Caputo R, Simons A, Giambartolomei A, et al. Transradial cardiac catheterization in elderly patients. Catheter Cardiovasc Interv. 2000;51:287–90.

6. Dehghani P, Mohammad A, Bajaj R, et al. Mechanism and predictors of failed transradial approach for percutaneous coronary interventions. JACC Cardiovasc Interv. 2009;2:1057–64.

7. Valsecchi O, Vassileva A, Musumeci G, et al. Failure of transradial approach during coronary interventions: anatomic considerations. Catheter Cardiovasc Interv. 2006;67:870–8.

8. Abhaichand R, Louvard Y, Gobeil J, et al. The problem of arteria lusoria in right transradial coronary angiography and angioplasty. Catheter Cardiovasc Interv. 2001;54:196–201.

9. Patel T. Right trans-radial approach-working through arteria lusoria. Indian Heart J. 2006;58:301.

10. Yiu K, Chan W, Jim M, et al. Arteria lusoria diagnosed by transradial coronary catheterization. JACC Cardiovasc Interv. 2010;3:880–1.

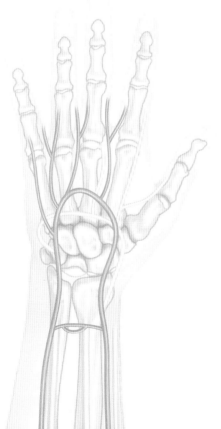

7
CHAPTER

경요골동맥
심도자법의 합병증과
그에 대한 처치

**Complications of Transradial Cardiac
Catheterization and Management**

7 Chapter

경요골동맥 심도자법의 합병증과 그에 대한 처치
Complications of Transradial Cardiac Catheterization and Management

부천세종병원 이현종
성균관의대 삼성서울병원 송영빈
성균관의대 삼성서울병원 권현철

 1 **서론**

요골동맥을 통해 관상동맥 조영술 또는 중재술을 시행하는 경우 주요 혈관 합병증의 발생 빈도는 0.3~1.4%로 매우 낮으며, 대퇴동맥을 통해서 시술하는 경우(1.8~3.7%)보다 안전한 것으로 알려져 있다.[1-3] 또한, 합병증으로 인해 수술적인 치료를 요하는 경우 역시 대퇴동맥을 이용한 경우보다 적다(0.1% vs 0.4%).[4] 요골동맥을 이용한 관상동맥 조영술 또는 중재술 시 발생할 수 있는 천자부위 합병증(access site complications)은 표 1과 같이 다양하게 발생할 수 있는데, 항혈소판 제제나 항응고 제제를 많이 사용할수록 발생 빈도는 증가한다. 하지만, 일반적으로 사망에 이르거나 심한 동반질환(comorbidity)을 일으키는 경우는 매우 드물다.

표 1 요골동맥 천자부위 합병증의 종류와 발생 빈도

요골동맥 연축(spasm)	5.4~51.3%
요골동맥 폐쇄(occlusion) 또는 혈전증(thrombosis)	2~18%
요골동맥 또는 상완 동맥의 천공(perforation)	0.1~1%
가성 동맥류(pseudo-aneurysm)	〈 0.1%
요골동맥 동정맥루(arteriovenous fistula)	〈 0.1%
피부 손상(skin wound)	보고되지 않음.
신경 손상(nerve injury)	-〉〈 0.1% / 3줄의 칸막이 필요함

2 주요 합병증들

1) 요골동맥 연축(radial artery spasm)

요골동맥은 다른 동맥에 비교하여 연축(spasm)이 잘 발생하는 경향이 있어서 합병증이라기 보다는 요골동맥 고유의 특성으로 보기도 한다. 이는 요골동맥을 이용한 관동맥 우회술을 받은 환자들에서 이식편의 연축이 잘 발생하고, 이로 인해 높은 폐쇄율을 나타내는 것을 보아 미루 어 짐작할 수 있다.[5] 요골동맥의 연축 성향의 기전은 현재까지 확실하게 알려져 있지 않고, 혈 관 내 α1 수용체의 높은 밀도와 잘 발달된 혈관 평활근과 연관성이 있는 것으로 알려져 있다.[6] 연축을 정의하는 데 있어서 객관적이고 정확하게 평가할 수 있는 하나의 측정 방법이 없다. 따 라서, 연구마다 연축의 정의가 조금씩 다르며, 대개 환자가 느끼는 전완부 통증과 시술자가 혈 관초나 도관을 조작하면서 느끼는 저항감 등을 고려해서 임상적으로 정의한다. 표 2에서와 같 이 연축을 미리 정의한 전향적 무작위 할당 연구결과들에 따르면 요골동맥 연축의 발생 빈도는 연축의 정의, 사용한 혈관 확장제, 혈관초의 종류 등에 따라 5.4~51.3%로 다양하게 보고되고 있다.[7-13]

요골동맥 천자 중에 발생하는 연축은 천자 실패의 주요 원인이다. 천자 이후 발생하는 요골 동맥 연축은 환자에게는 불쾌한 통증을 유발하고, 시술자에게 도관의 조작에 제한을 주거나, 시술 실패(access failure)를 유발하기도 하고, 요골동맥 또는 상완 동맥의 천공 등의 추가적인 합병증을 유발할 수 있는 문제를 내제하고 있으며, 환자와 시술자 모두에게 방사선 노출시간 을 증가시킨다. 따라서, 경 요골동맥 시술에 있어서 이러한 연축을 예방하고, 완화시키는 조 치는 매우 중요하다. 요골동맥 연축발생의 주요 위험 인자는 여성, 젊은 환자, 당뇨, 시술 중 의 불안, 여러 차례 천자한 경우, 응급시술, 중재술을 시행한 경우, 유도초나 가이딩 카테터 의 직경이 큰 경우 등이다.[10, 12, 14] 연축이 발생하기 전에 예방이 무엇보다도 효과적인데, 이를 위해 동맥 천자 후에 혈관 확장제를 직접 동맥 내로 주입하는 것이 일반적이며, 이때 사용하 는 약제로는 verapamil, diltiazem, phentolamine, isosorbide dinitrate, nicorandil, molsidomine 등이 사용될 수 있으며, 일부 연구에서 verapamil이 가장 효과적이라고 보고하고 있다.[13] 소량 의 헤파린과 혈관확장제를 섞은 cocktail을 사용하는 경우도 있고, 각각을 별도로 주입하는 경우도 있다. 일반적으로 1,000~3,000 U의 헤파린과 verapamil 0.2~5 mg 또는 nitroglycerin 100~200 μg을 섞어서 사용한다. 두 가지의 혈관 확장제를 섞어서 사용할 경우에는 심한 저혈압을 유발시킬 수 있으므로, 시술 전 혈압이 낮으면서 좌심실 수축 기능이 저하된 환자나 중증 심부전증 환자들에서는 주의해서 사용하여야 한다. 친수성 코팅이 되어 표면이 부드럽고 매끈한 혈관초의 사용이나, 시술 중에 불안을 감소시키고 통증을 적극적으로 조절하는 것 역시 연축을 예방하는 것으로 보고 되고 있다.[10-12] 천자 전에 미리 국소 마취 크림을 요골동맥 주변에 도포하는 것이 상완부 통증을 경감시켜 요골동맥 연축을 감소 시키는데 도움을 줄 수 있다.[15, 16]

요골동맥 연축이 발생했을 경우에 시기에 따른 대처방법을 살펴보면 다음과 같다.

첫째, 동맥 천자 시 발생한 경우 – 단순히 천자를 반복할 경우 연축이 더욱 심해지고, 요골동맥 내 혈종이 커지면서 내강은 좁아져 점점 성공적인 천자를 하기 힘들어진다. 이런 경우에는 초음파 유도하 동맥 천자(ultrasound-guided puncture)를 통해서 연축 부위를 확인하고 비연축 부위에 선택적으로 천자함으로써, 반대편 요골동맥이나 대퇴동맥으로의 전환율을 줄일 수 있다. 천자가 잘 되어 혈류가 잘 역류됨에도 불구하고, 천자부위에 발생한 연축으로 인하여 0.018~0.035" 가이드 와이어가 천자부위를 통과하지 않는 경우에는 더 얇은 0.014" 가이드 와이어을 사용하면 쉽게 통과하는 경우가 많다.

둘째, 가이딩 카테터의 요골동맥 내 진입 또는 통과 시 심한 제한이 느껴지는 경우 – 반복적인 혈관 확장제의 요골동맥내 주입을 통해 연축을 완화시키거나, 길이가 긴 친수성 유도초를 상완동맥 근위부까지 삽입하여 카테터가 연축된 부위와 접촉하지 않도록 함으로써 이를 극복할 수 있다. 이때 천공이 발생하지 않도록 환자의 전완부 통증을 잘 평가하고, 유도초에 전달되는 저항을 주의 깊게 느끼면서 천천히 진행시켜야 한다.

셋째, 관상동맥에 가이딩 카테터가 삽입 된 상태에서 환자가 요골동맥 연축으로 전완부 통증을 호소하는 경우 – 카테터의 불필요한 조작을 피한다.

넷째, 시술 후 가이딩 카테터를 뽑는 과정에서 심한 제한이 느껴지는 경우 – 카테터를 쇄골하동맥 원위부까지 후퇴시킨 후, 혈관 확장제를 도관을 통해서 주입하여 약제가 상완동맥 및 요골동맥으로 흘러내려 오게 하는 방법이 카테터 제거 시 심한 연축으로 인해 발생하는 요골동맥 내피세포 손상이나 전완부 통증을 경감시키는 데 도움이 될 수 있다. 위에서 언급한 바와 같이 요골동맥 연축 발생의 위험 인자는 다양하며, 시술 과정

중 모든 단계에서 발생할 수 있다. 이의 예방을 위해서 대부분의 심도자실에서 쉽게 적용할 수 있는 혈관 확장제 투여와 친수성 코팅이 된 유도초의 사용을 일상화하는 것이 추천된다.

표 2 요골동맥 연축의 발생률

Reference	대상자 수	요골동맥 연축의 정의	발생빈도
Ruiz–Salmeron RJ et al. (2005)[7]	500	환자가 전완부 통증을 느끼거나, 시술자가 혈관초나 도관을 삽입, 조작, 제거할 때 심한 제한을 느낀 경우	18.2%
Varenne O et al. (2006)[8]	1219	시술자가 도관을 조작할 때 심한 제한을 느낀 경우	10.7%
Kim SH et al. (2007)[9]	150	혈관 확장제를 사용한 경우와 비교하여 시술 후에 혈관 조영술상 30% 이상의 협착이 관찰된 경우	51.3%
Rathore S et al. (2010)[10]	790	환자가 전완부 통증을 느끼거나, 시술자가 혈관초나 도관을 삽입, 조작, 제거할 때 심한 제한을 느낀 경우	29.4%
Caussin C et al. (2010)[11]	351	환자가 심한 전완부 통증을 느끼거나, 시술자가 도관 조작할 때 심한 제한을 느낀 경우	11.1%
Defteros S et al. (2013)[12]	2013	시술자가 도관을 조작할 때 심한 저항을 느끼거나 움직일 수 없고, 혈관 조영술을 통해 심한 협착이 확인된 경우	5.4%
Julien R et al. (2014)[13]	731	환자가 전완부 통증을 느끼면서, 시술자가 도관 조작할 때 심한 제한을 느낀 경우	20.1%

2) 요골동맥 폐쇄 및 혈전증

요골동맥 폐쇄는 연축 다음으로 가장 흔한 합병증으로 언제, 어떠한 방법으로 평가하는가에 따라 발생률이 달라지는데, 그 빈도는 5~38%로 보고된다.[17-20] 요골동맥이 폐쇄되더라도 천장과 심장 동맥궁(superficial and deep palmar archs)을 통해서 곁 순환으로 혈액을 공급받기 때문에 허혈이 발생하지 않으며, 증상이 없거나 일시적인 경우가 대부분이다. 실제로 요골동맥이 폐쇄되어도 맥박이 만져지는 경우가 많기 때문에, 요골동맥 폐쇄는 도플러 초음파를 통해서 평가하는 것이 객관적이고 정확하다. 많은 시술자들이 임상적으로 큰 문제가 되지 않기 때문에 경 요골동맥 시술 후에 요골동맥의 폐쇄여부를 확인하지 않는 경우가 많다. 최근 일부 그룹에서는 요골동맥 폐쇄의 빈도가 기존에 보고된 것보다 많고, 증상이 있는 환자들이 많으며 (52.5%), 추가적인 저분자 헤파린의 사용을 통해서 재관류가 가능하다고 지적하였다.[21]

요골동맥 폐쇄는 동맥 천자나 도입관 삽입 시 발생한 내피세포에 발생한 손상과 지혈 과정 중

과도한 압박으로 인한 혈류중단에 합병된 혈전에 의해서 대부분 발생한다. 요골동맥 폐쇄의 주요 위험인자는 표 7-3과 같다.[21, 22] 이러한 요골동맥 폐쇄를 예방하는 방법으로는 시술 중 충분한 양의 헤파린을 사용하고, 가능한 직경이 작은 유도초를 사용하며, 시술 후 지혈 과정에서 혈관이 완전히 눌리지 않고, 혈류가 유지되도록 하는 것이다. 또한, 요골동맥 지혈 중에 척골동맥 (ulnar artery)의 압박이 요골동맥으로의 혈류를 증가시켜 동맥 폐쇄를 예방하는 데 도움이 되는 것으로 보고 되고 있다.[23] 향후 관동맥 우회술이나 투석을 받을 가능성이 높거나, 재시술 시 다른 접근 경로가 없다고 판단되는 경우에는 시술 중에 요골동맥 폐쇄에 대한 적극적인 예방 조치를 취하고, 퇴원 전 이에 대한 평가를 시행하는 것이 좋을 것으로 판단된다.

표 7-3 요골동맥 폐쇄의 위험 인자들 [21, 22]

1. 시술 중 헤파린을 적게 사용한 경우
2. 지혈 과정에서 요골동맥에 과도한 압력으로 압박
3. 지혈 과정에서 요골동맥의 장시간 압박
4. 혈관초의 직경이 큰 경우
5. 요골동맥의 직경이 작은 경우: 여성이나 체구가 작은 환자
6. 동일한 요골동맥을 통한 재시술
7. 말초 혈관 질환을 가지고 있는 경우

3) 요골동맥의 천공

요골동맥 천공은 굴곡이 매우 심하거나, 심한 연축이 발생된 상태에서 가이드 와이어를 요골동맥 조영술 없이 진행하다가 발생하거나, 또는 심한 연축이 발생한 부분에 가이딩 카테터를 무리하게 밀어 올리는 경우 잘 발생하며, 발생률은 약 0.1~1% 정도로 드물게 보고되고 있다.[24, 25] 이를 예방하기 위해 유도 철선을 삽입하기 전에 반드시 요골동맥 조영술을 미리 시행하는 것은 일반적으로 추천되지 않으나, 가이드 와이어나 가이딩 카테터를 진행할 때 심한 저항이 느껴지거나, 환자가 전완부 통증을 호소하면, 바로 가이드 와이어의 진행을 멈추는 습관을 들이고, 요골동맥 조영술을 시행하여 해부학적인 평가를 하는 것이 좋다. J-tipped 가이드 와이어의 사용이 요골동맥의 가지 혈관 손상의 빈도를 낮춰 천공을 예방하는데 도움을 줄 수 있다.

일반적으로 요골동맥의 천공은 다른 혈관의 천공과는 다르게 크게 위험하지 않은 경우가 대부분이다. 가이드 와이어가 통과된 상태라면 길이가 긴 친수성 유도초를 천공부위 상방으로 여유있게 삽입하여 천공부위에서 지속적인 혈액 누출을 막을 수 있고(그림 1),[25] 가이딩 카테터가 통과된 상태라면 카테터 자체에 의해 천공이 봉쇄될 수 있다. 천공부위에 연축이 잘 동반되므로, 상완이 더 부어오르지 않는다면 예정된 시술을 진행한 후 천공부위를 재평가할 수 있다. 시술 종료 후 혈관 조영술을 시행해 보면 천공부위가 저절로 폐쇄된 경우를 흔히 볼 수 있다.[26] 적절한 크기의 풍선을 천공부위 근위부에서 확장하여 혈류를 막음으로 지혈을 도모할 수도 있다.[27] 하지만, 이러한 조치에도 불구하고 천공부위 주변이 지속적으로 부풀어 오른다면, 즉시 압박 붕대나 혈압 커프(cuff)를 통해서 천공 주변 연부조직을 압박하여 커다란 혈종이나 구획증후군의 발생을 예방하고, 다른 혈관 접근로를 통해서 시술을 해야 한다. 시술 중에 발생하는 대부분의 천공은 적절한 조치가 이루어지기 때문에 심각한 합병증을 야기하는 경우는 거의 없다. 그러나, 시술 시 확인되지 못한 지연 출혈의 경우 최악의 경우 구획증후군까지 일으킬 수 있으므로 시술 후 상완부의 통증 및 부종 여부에 대한 확인을 정규적으로 할 수 있는 프로토콜을 각 기관 실정에 맞게 갖추는 것도 출혈로 인한 합병증을 줄일 수 있는 방법이다.

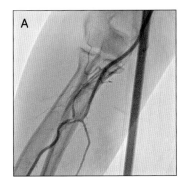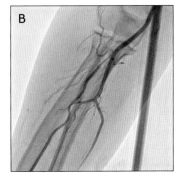

그림 1. 요골동맥 천공.
A : 가이드 와이어에 의해 요골동맥 근위 1/3 지점에서 천공이 발생하였는데, 0.021" 가이드 와이어를 천공부위를 통과시키고 6Fr 23 cm 길이의 유도초를 상완동맥 원위부까지 삽입하였다.
B : 예정된 시술을 시행한 후 추적 요골동맥 조영술상 천공부위가 저절로 폐쇄되었음을 확인할 수 있었다.

4) 요골동맥 가성동맥류(pseudoaneurysm)

가성동맥류는 요골동맥 천자 시에 혈관에 관통 손상과 이로 인한 혈종에 의해 발생하며 0.1% 이하의 매우 드문 합병증이다. 여러 번의 천자, 항응고 요법의 동반, 직경이 큰 유도 초의 사용, 카테터 감염 등과 연관이 있으며, 시술 후 수 일에서 2~3주 내에 심한 전완부 통증을 동반한 혈종이나, 천자부위 박동성 종괴의 형태로 나타난다. 비침습적인 치료법으로는 초음파 유도 하 압박, 경피적인 트롬빈(thrombin) 주입, TR band를 통해 적절한 압력으로 압박하는 "patent hemostasis" 방법들이 있으며, 수술적으로 가성동맥류의 절제나 요골동맥 결찰술을 시행할 수 있고, 무엇보다 조기에 발견하고 진단하는 것이 중요하다.

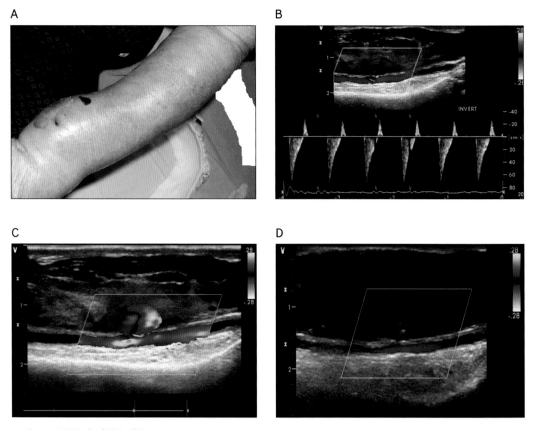

그림 2. 요골동맥 가성동맥류.

A : 좌측 요골동맥을 통해 관상동맥 중재술을 시행한 지 2주 경과 하였으나, 혈종이 개선되지 않고, 오히려 심한 부종, 혈종과 함께 전완부 통증을 호소.

B, C : 도플러 초음파 검사에서 약 2 mm 길이의 상대적으로 넓은 목을 가진 가성동맥류와 그 상부에 심한 혈종이 관찰됨. 목(neck)을 통해서 가성 동맥류 안으로 들어오는 혈류와 나가는 혈류가 동시에 관찰됨.

D : 요골동맥 근위부 결찰술 4일 후에 추적 도플러 초음파 검사상 가성동맥류 안으로 들어가는 혈류가 관찰되지 않음.

그림 2의 경우는 TR band를 사용하여 초음파 유도하 압박술을 시행하였으나, 가성동맥류 내로 혈류가 진입하지 않게 하기 위해서는 요골동맥이 완전히 눌리는 과도한 압력이 필요했고, 이 압박에서는 환자가 통증을 견디지 못하여, 결국 요골동맥 근위부 결찰술을 시행하였다.

5) 요골 동정맥루(Radial arterio-venous fistula)

요골동맥 주위에는 혈관 직경이 큰 정맥이 분포하고 있지 않아서, 정맥내로 혈관 초를 삽입(cannulation)할 가능성이 매우 낮다. 널리 알려진 RIVAL 연구에서 3,507명의 상완에서 동정맥루는 한 건도 발생하지 않았으며[3], Eichhofer J 등의 연구에서는 3,198명의 상완에서 1명 (0.03%)의 동정맥루가 발생하였을 정도로 극히 드물게 보고되고 있다.[28] 지속적인 천자부위 통증 및 부종을 호소하기도 하고, 무증상의 떨림(thrill)이 느껴져서 발견되기도 한다. 초음파 유도하 압박으로 호전되는 경우도 있으나, 일반적으로 수술적 재건술이 필요하다.

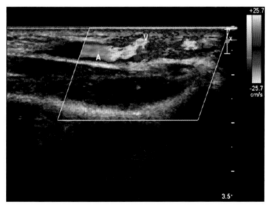

그림 3. 요골동맥 동정맥루.
경요골동맥 중재시술 2개월 후에 천자부위에 thrill이 만져져서 진단된 요골동맥 동정맥루. 도플러 초음파상 동정맥루를 통해서 매우 빠른 혈류가 지나가면서 모자이크 현상(mosaicism)이 관찰된다.
A : artery,
V : vein

6) 피부 손상(Puncture site skin wound)

요골동맥 중재술 후에 발생하는 피부손상은 크게 압박 궤양과 육아종으로 나뉜다. 그림 4는 과도한 압박으로 인한 천자부위의 피부 손상을 보여주고 있다. 압박 궤양은 시술로 인한 손상이 아닌 지혈기구의 부작용으로 인해 나타나며, 경미한 발적에서부터 심한 궤양까지 다양하며, 주로 과도한 압력으로 지속적인 압박에 의해 발생하며, 수 주에서 수개월에 걸쳐서 상처가 치유되며, 반흔이나 색소침착을 남기는 경우도 있다. 요골동맥을 이용한 중재술 후 이상적인 지혈 시간은 정해져 있지 않으나, 대개 6시간 이상을 추천하며, 요골동맥 주위에 연부 조직이 적기 때문에 대퇴 동맥을 이용한 경우보다 지혈하는데 시간이 더 오래 걸린다. 지혈하는 동안 요골동맥의 혈류는 유지하는 "patent hemostasis"를 시행하는 것이 앞에서 말한 요골동맥 폐쇄의 예방뿐 아니라 피부의 압박 궤양을 예방하는 방법이다.

그림 5A와 같은 무균성 육아종은 주로 Cook 사에서 공급한 친수성 코팅이 된 혈관 초의 사용 후에 잘 발생하는 것으로 알려져 있으며, 병리학적 조직 검사에서 거대세포의 반응을 동반한 만성 염증성 섬유화로 일종의 코팅물질에 대한 이물 반응(foreign body reaction)이 원인이다. 한 보고에 따르면 2.8%에서 발생하며, 시술 2~3주 후에 천자부위에 경결이 만져진다.[29] 일부에서는 그림 5B와 같이 농양(abscess)의 형태로 나타나는데, 조직 검사상 화농성 염증의 소견을 보이나, 균이 동정되지 않고, 시술 후 2~3주 후에 발생하는 점을 보아 감염과는 무관하며, 예후는 매우 양호하다.

A
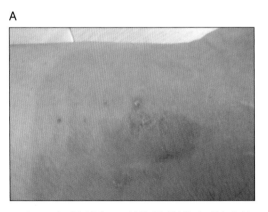

B
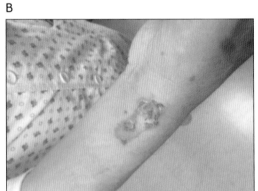

그림 4. 과도한 압박으로 인한 천자부위의 피부 손상

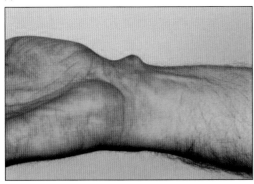 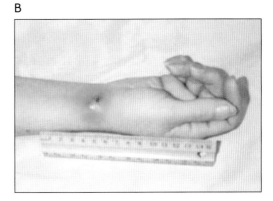

그림 5. 친수성 코팅이 된 혈관 초를 사용하여 경 요골동맥 중재술을 시행한 환자에서 발생한 무균성 육아종(A)과 농양(B) (Courtesy of Dr Stephen Leslie, Department of Cardiology, Raigmore Hospital, Inverness, Scotland (A), and Dr Kozak, Division of Cardiology, Milton S. Hershey Medical Center (B))

7) 신경 손상(Nerve injury)

경 요골 중재술 후 심각한 신경 손상은 드물다. 신경 손상의 발생 기전은 반복적인 천자 중에 요골 신경(radial nerve) 또는 정중 신경(median nerve)에 직접적인 손상, 요골동맥 폐쇄로 인한 허혈성 손상, 혈종에 의한 신경의 눌림, 지혈 과정에서 과도하게 압박에 의한 신경의 눌림에 의해서 발생한다. 신경 손상이 발생하면 손가락의 저림, 무감각, 이상감각, 통증 등을 호소하며, 심하면 운동 기능에도 장애를 일으킨다. 그림 6의 A와 B는 요골, 정중, 척골 신경에 의한 감각 영역을 보여준다. 각 신경이 지배하는 영역을 숙지하면 어떤 신경이 손상되었는지, 어떤 기전에 의해 손상이 발생했는지를 추정해 볼 수 있다. 엄지 손가락의 배부(dorsal surface)의 감각 이상을 호소하는 경우, 요골 신경의 감각 표면 분지(superficial branch)의 손상에 의한 것으로, 손등 쪽으로 주행하기 때문에(C) 천자나 혈종에 의해 발생하기 보다는 손목을 360도 휘감으면서 지혈하는 경우, 신경을 압박하여 발생하는 경우가 많다. 이러한 신경 손상은 대개는 일시적이며, 시간이 지나면 점차 호전되는데, 만성적으로 지속되는 것을 만성 국소 통증 증후군(chronic regional pain syndrome)이라 하며, 약물치료나 심한 경우 신경 차단술을 시행할 수 있다.

A

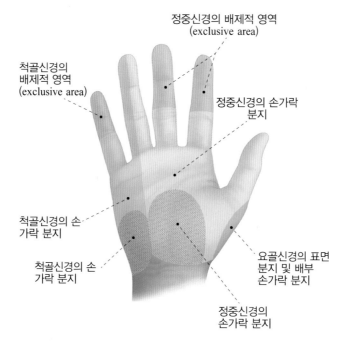

척골신경의
배제적 영역
(exclusive area)

정중신경의 배제적 영역
(exclusive area)

정중신경의 손가락
분지

척골신경의 손
가락 분지

척골신경의 손
가락 분지

요골신경의 표면
분지 및 배부
손가락 분지

정중신경의
손가락 분지

B

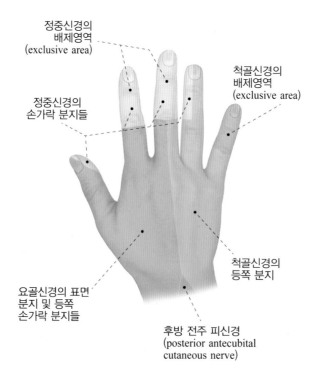

정중신경의
배제영역
(exclusive area)

척골신경의
배제영역
(exclusive area)

정중신경의
손가락 분지들

척골신경의
등쪽 분지

요골신경의 표면
분지 및 등쪽
손가락 분지들

후방 전주 피신경
(posterior antecubital
cutaneous nerve)

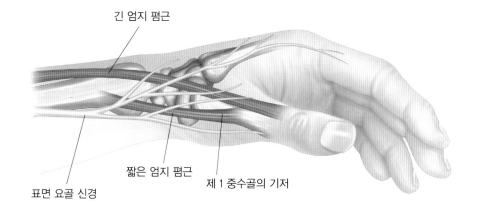

C

긴 엄지 폄근

표면 요골 신경

짧은 엄지 폄근

제 1 중수골의 기저

그림 6. 손의 감각 신경

A : 손바닥 측면

B : 손등 측면

C : 요골신경의 감각 표면 분지의 주행 (Courtesy of "Washington University in St. Louis School Of Medicine, Department of Plastic and Reconstructive Surgery"(http://plasticsurgery.wustl.edu) for A and B; "The New York School Of Regional Anesthesia"(http://www.nysora.com/wrist-block) for C)

3 맺음말

서두에서 언급한 바와 같이 경 요골동맥 시술은 경 대퇴 동맥 시술과 비교하여, 주요 혈관 합병증 발생률이 낮다. 이 장에서 언급한 다양한 합병증 발생의 위험인자와 해결책을 숙지한다면 시술 중 환자의 불편감을 줄이고, 더욱 안전한 시술이 가능할 것이다.

참고문헌

1. Brueck M, Bandorski D, Kramer W, et al. A randomized comparison of transradial versus transfemoral approach for coronary angiography and angioplasty. JACC Cardiovasc Interv 2009;2:1047–54.

2. Bauer T, Hochadel M, Brachmann J, et al. Use and outcome of radial versus femoral approach for primary PCI in patients with acute ST elevation myocardial infarction without cardiogenic shock: results from the ALKK PCI registry. Catheter Cardiovasc Interv. 2015;86 Suppl 1:S8-14.

3. Jolly SS, Yusuf S, Cairns J, et al. Radial versus femoral access for coronary angiography and intervention in patients with acute coronary syndromes (RIVAL): a randomised, parallel group, multicentre trial. Lancet. 2011;377:1409-20

4. Valgimigli M, Gagnor A, Calabró P, et al. Radial versus femoral access in patients with acute coronary syndromes undergoing invasive management: a randomised multicentre trial. Lancet. 2015;385:2465-76

5. He GW. Arterial grafts for coronary surgery: vasospasm and patency rate. J Thorac Cardiovasc Surg 2001;121:431-3.

6. He GW, Yang CQ. Characteristics of adrenoreceptors in the human radial artery: clinical implications. J Thorac Cardiovasc Surg 1998;115:1136–41.

7. Ruiz-Salmeron RJ, Mora R, Masotti M, et al. Assessment of the efficacy of phentolamine to prevent radial artery spasm during cardiac catheterization procedures: a randomized study comparing phentolamine vs verapamil. Catheter Cardiovasc Interv. 2005;66:192–8.

8. Varenne O, Jegou A, Cohen R, et al. Prevention of arterial spasm during percutaneous coronary interventions through radial artery: the SPASM study. Catheter Cardiovasc Interv. 2006;68:231–5.

9. Kim SH, Kim EJ, Cheon WS, et al. Comparative study of nicorandil and a spasmolytic cocktail in preventing radial artery spasm during transradial coronary angiography. Int J Cardiol. 2007;120:325–30.

10. Rathore S, Stables RH, Pauriah M, et al. Impact of length and hydrophilic coating of the introducer sheath on radial artery spasm during transradial coronary intervention: a randomized study. JACC Cardiovasc Interv. 2010;3:475–483.

11 Caussin C, Gharbi M, Durier C, et al. Reduction in spasm with a long hydrophylic transradial sheath. Catheter Cardiovasc Interv. 2010;76:668–672.

12. Deftereos S, Giannopoulos G, Raisakis K, et al. Moderate procedural sedation and opioid analgesia during transradial coronary interventions to prevent spasm: a prospective randomized study. JACC Cardiovasc Interv. 2013;6:267-73.

13. Rosencher J, Chaïb A, Barbou F, et al. How to limit radial artery spasm during percutaneous coronary interventions: The spasmolytic agents to avoid spasm during transradial percutaneous coronary interventions (SPASM3) study. Catheter Cardiovasc Interv. 2014;84:766-71.

14. Goldsmit A, Kiemeneij F, Gilchrist IC, et al. Radial artery spasm associated with transradial cardiovascular procedures: results from the RAS registry. Catheter Cardiovasc Interv. 2014;83:E32-6.

15. Kim JY, Yoon J, Yoo BS et al. The effect of a eutectic mixture of local anesthetic cream on wrist pain during transradial coronary procedures. J Invasive Cardiol. 2007;19:6-9.

16. Youn YJ, Kim WT, Lee JW, et al. Eutectic mixture of local anesthesia cream can reduce both the radial pain and sympathetic response during transradial coronary angiography. Korean Circ J. 2011;41:726-32.

17 Pancholy S, Coppola J, Patel T, et al. Prevention of radial artery occlusion-patent hemostasis evaluation trial (PROPHET study): a randomized comparison of traditional versus patency documented hemostasis after transradial catheterization. Catheter Cardiovasc Interv 2008;72:335– 40.

18. Stella PR, Kiemeneij F, Laarman GJ, et al. Incidence and outcome of radial artery occlusion following transradial artery coronary angioplasty. Cathet Cardiovasc Diagn 1997;40:156–8.

19. Sanmartin M, Gomez M, Rumoroso JR, et al. Interruption of blood flow during compression and radial artery occlusion after transradial catheterization. Catheter Cardiovasc Interv 2007;70:185–9.

20. Cubero JM, Lombardo J, Pedrosa C, et al. Radial compression guided by mean artery pressure versus standard compression with a pneumatic device (RACOMAP). Catheter Cardiovasc Interv 2009;73:467–72.

21. Uhlemann M, Möbius-Winkler S, Mende M, et al. The Leipzig prospective vascular ultrasound registry in radial artery catheterization: impact of sheath size on vascular complications. JACC Cardiovasc Interv. 2012;5:36-43.

22. Sanmartin M, Gomez M, Rumoroso JR, et al. Interruption of blood flow during compression and radial artery occlusion after transradial catheterization. Catheter Cardiovasc Interv. 2007;70:185-9.

23. Pancholy SB, Bernat I, Bertrand OF, et al. Prevention of Radial Artery Occlusion After Transradial Catheterization: The PROPHET-II Randomized Trial. JACC Cardiovasc Interv. 2016;9:1992-9

24. Sanmartin M, Cuevas D, Goicolea J, Ruiz-Salmeron R, Gomez M, Argibay V. Vascular complications associated with radial artery access for cardiac cathterization. Rev Esp Cardiol 2004;57:581–4

25. Calviño-Santos RA, Vázquez-Rodríguez JM, Salgado-Fernández J, Vázquez-González N, Pérez-Fernández R, Vázquez-Rey E, Castro-Beiras A.Management of iatrogenic radial artery perforation. Catheter Cardiovasc Interv. 2004;61:74-8.

26. Kim YS, Jung CS, Kim HS, et al. Simple Management of Radial Artery Perforation during Transradial Percutaneous Coronary Intervention. Korean J Med; 90: 136-9.

27. Rigatelli G1, Dell'Avvocata F, Ronco F, Doganov A. Successful coronary angioplasty via the radial approach after sealing a radial perforation. JACC Cardiovasc Interv. 2009;2:1158-9.

28. Eichhofer J, Horlick E, Ivanov J, et al. Decreased complication rates using the transradial compared to the transfemoral approach in percutaneous coronary intervention in the era of routine stenting and glycoprotein platelet IIb/IIIa inhibitor use: a large single-center experience. Am Heart J 2008;156:864-70.

29. Kozak M, Adams DR, Ioffreda MD, et al. Sterile inflammation associated with transradial catheterization and hydrophilic sheaths. Catheter Cardiovasc Interv 2003;59:207–13.

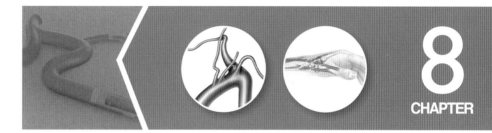

8
CHAPTER

고위험 환자에서의 경요골 중재시술 : 좌주간동맥질환, 다혈관 질환 및 심인성쇼크

Trans-radial Intervention in Critically Ill Patients : Left Main Disease, Multi-Vessel Disease and Cardiogenic Shock

고위험 환자에서의 경요골 중재시술
: 좌주간동맥질환, 다혈관 질환 및 심인성쇼크

Transradial Intervention in Critically Ill Patients : Left Main Disease, Multi-Vessel Disease and Cardiogenic Shock

Chapter 8

울산의대 강릉아산병원 박세준
강원대학교병원 이봉기
강원대학교병원 조병렬

경요골동맥 중재술(trans-radial intervention, TRI)은 여러 장점으로 인해 경피적 관상동맥 중재술(Percutaenous coronary intervention, PCI) 시 기본 기술로서의 자리를 확보해 나가고 있다. 중재시술에 사용되는 장비와 기구들, 시술자들의 기술 향상과 관련 연구들이 활발히 진행되면서 경요골동맥 중재술의 대상은 단순 관상동맥 병변을 넘어 그 적용범위를 확장하고 있다.[1, 2] 이 장에서는 보호되지 않은 좌주간지 질환(left main coronary artery, LMCA), 다혈관 관상동맥질환(multi-vessel disease, MVD)과 심인성쇼크 환자(cardiogenic shock, CS)에 대한 경요골동맥 중재술의 적용을 알아 본다.

1 보호되지않은 좌주간지 질환에서 경요골동맥 중재술

허혈성 심질환에서 좌주간지 질환의 치사율은 3년 후 최대 50%까지 보고되고 있어 적극적인 재관류 치료가 요구된다.[3, 4] 이전에는 관상동맥 우회술(coronary artery bypass surgery, CABG)이 치료의 표준이었으나, SYNTAX 연구를 포함한 여러 연구들에서 좌주간지에서 경피적 관상동맥 중재술의 임상적 결과가 관상동맥우회술에 비해 열등하지 않음을 증명하였다.[5-7] 이에 최근 미국과 유럽의 가이드라인에서는 좌주간지 질환에 대한 치료 방법으로 경피적 관상동맥 중재술을 class IIa 혹은 IIb로 권장하고 있다. 좌주간지 병변에 대한 경피적 관상동맥 중재술의 경로로서 경요골동맥 중재술도 사용이 되고 있으며 고위험도의 좌주간지 병변에서도 경요골동맥 중재술를 성공적으로 시행한 증례들이 보고되어 있다.[8, 9]

1) 좌주간지 병변에서 경대퇴동맥 중재술과 경요골동맥 중재술

Ziakas 등에 의한 단일 기관 연구에서 좌주간지 경피적 관상동맥 중재술이 행해진 80명의 환자들 중 34%에서 경요골동맥 중재술이 이용되었고, 경대퇴동맥 중재술(trans-femoral intervention, TFI)과 비교하여 적응증이나 병변 위치의 차이는 없었던 것으로 보고되었다. 다만 경요골동맥 중재술군에서 유의하게 높은 좌심실 구혈률을 보였고, 경대퇴동맥 중재술군에서는 7~8Fr의 큰 구경의 가이딩 카테터가 더 많이 사용되었고 대동맥내풍선펌프(intra-aortic balloon pump counterpulsation, IABP)의 사용도 더 많았다. 투시 시간, 시술 시간, 조영제 사용량, 시술 성공률과 원내 및 6개월의 주요 심혈관 사건의 발생률은 차이가 없었지만 경대퇴동맥 중재술군의 환자에서만 혈관 합병증(5.7%)이 발생하였다.[10] 최근 Yang 등의 821명의 좌주간지 경피적 관상동맥 중재술 환자에 대한 보고에서는 경요골동맥 중재술군에서 좌주간지 분지부의 경피적 관상동맥 중재술 시에 two-stent technique의 사용이 더 적었다. 시술 성공율 및 시술 시간에서 양군 간에 차이가 없었으나 입원 기간과 출혈성 합병증은 경대퇴동맥 중재술에서 더 많았다. 한편, 이 연구는 모든 증례의 80%를 경요골동맥 중재술로 시행하는 숙달된 시술자들에 의해 수행되었지만 좌주간지 경피적 관상동맥 중재술에서는 43%에서만 사용되었다.[11] 무작위대조연구가 아닌 점과 제한적으로 경요골동맥 중재술이 사용된 등의 약점이 있어 좌주간지 경피적 관상동맥 중재술시에 경요골동맥 중재술의 무제한 적용의 근거로 삼기에는 부족한 면이 있지만, 환자 선택을 지혜롭게 한다면 요골동맥은 안전하고 효과적으로 사용할 수 있는 접근통로이다.

2) 좌주간지 분지부의 경요골동맥 중재술

De Maria 등이 보고한 LABOR (Left main Bifurcation Oxford-Rome) 연구에서는 두 개의 큰 기관에서 467명의 환자들이 등록되었으며 53%에서 경요골동맥 중재술이 시행되었다.[12] 이들의 연구기간 중 좌주간지 분지부병변의 경요골동맥 중재술이 2005년에 9%에서 2013년 91%로 극적으로 증가하여 시술자들의 경험과 신뢰가 성장했음을 시사한다. 더구나 복잡 시술의 증가에도 불구하고 성공률도 안정적으로 유지되었다. 경대퇴동맥 중재술에서는 분지부병변이 더 많았고(60% vs 40%; P〈0.001) 더 큰 구경의 가이딩 카테터가 사용되었다. 시술이 시행된 년도, 분지부병변의 존재 여부나 심인성쇼크의 동반 여부 등이 경대퇴동맥 중재술이 선호되는 예측인자로 나타났다. 시술 성공률은 비슷하였으나 천자부 합병증은 경대퇴동맥 중재술에서 빈발하였다. 성향점수 매칭분석을 통한 107쌍의 분석에서 1년째 허혈 사건에서 동등한 것으로 보고되었다.

국내 18개 기관이 협력한 COBIS II 등록 연구 중, 좌주간지 분지부병변을 가진 853명의 환자들을 대상으로, Chung 등이 분석한 하위연구에서 경요골동맥 중재술이 25%에서 시행되었으며 경대퇴동맥 중재술에 비해 만성신장질환과 급성심근경색증의 비율이 더 적었던 것으로 나타났다.[13] 이 연구에서도 경요골동맥 중재술에서 분지부의 존재, 혈관내 초음파 사용률, two-stent technique과 final kissing-balloon inflation의 사용빈도 역시 적게 나타났다. 양 군간에 시술 성공율은 차이가 없었으며 출혈성합병증은 경요골동맥 중재술군에서 적었다. 중앙값 35개월의 추적기간 동안 주요 심혈관 사건의 발생은 차이가 없었다.

위 연구들에서 혈역학적 불안정이나 병변의 해부학적 복잡성이 심할 경우에는 경대퇴동맥 중재술이 선호되었음을 볼 수 있지만 환자 선택이 적절히 이루어지면 좌주간지 분지부병변에서도 경요골동맥 중재술은 유용하게 활용될 수 있고 장기적 임상경과도 양호하다는 것을 알 수 있다.

3) 다혈관질환에서 경요골동맥 중재술

다혈관질환에 대한 재관류술에 대해서는 연구마다 결과의 차이가 있으며,[14-16] 미국과 유럽 가이드라인에서도 병변의 종류, SYNTAX score에 따라 경피적 관상동맥 중재술과 관상동맥우회술을 선택적으로 권장하고 있다. 하지만 한국을 비롯한 아시아의 경우 관상동맥우회술에 대한 거부감으로 경피적 관상동맥 중재술을 선호하는 경향이 강하고, 관상동맥우회술과의 비교 연구에서 임상적 결과에서는 차이가 없으나, 경요골동맥 중재술군에서 뇌졸중 위험도가 유의하게 낮다는 연구 결과가 있어 향후 추가적인 연구가 필요한 상황이다.[17, 18]

좌주간지 질환과 마찬가지로 다혈관질환에 대한 경피적 관상동맥 중재술시에도 치료 방법에 있어 신중한 접근이 요구된다.[11] 병변의 특성상 동시에 다수의 기구 사용이 원활해야 하고, 충분한 배후 지지력(backup support)을 위해 큰 구경을 갖춘 가이딩 카테터가 필요한데, 경요골동맥 중재술 시에는 요골동맥의 작은 직경이 제약이 될 수 있다.[17] 하지만 요골동맥의 평균 직경은 2.60 mm 정도로서 6Fr 유도초(sheath) 사용에 적합하고 선택적으로는 7~8Fr의 유도초 사용도 가능한 것으로 보고 되었으며, 무유도초 가이딩 카테터를 사용하면 작은 직경의 요골동맥 환자에서도 큰 내경을 확보할 수 있다.[19, 20] 우리나라를 비롯한 몇몇 연구에서 분지 병변을 동반한 좌주간지와 다혈관질환에 대한 경요골동맥 중재술의 임상적 결과는 경대퇴동맥 중재술과 차이가 없고, 출혈은 유의하게 낮았던 것으로 보고되었다.[11, 13]

4) 좌주간지와 다혈관질환에서 경요골동맥 중재술 시 가이딩 카테터의 선택

경요골동맥 중재술시 일반적으로 사용되는 6Fr 가이딩 카테터를 통해서 4.0 mm 크기의 스텐트를 통과시키기에 무리가 없으므로 대부분 1개의 스텐트가 사용되는 개구부 병변(ostial lesion)이나 체부 병변(shaft lesion)에서는 경요골동맥 중재술도 용이하다. 2.5 mm 크기의 작은 직경의 스텐트 두 개를 사용하는 경우에는 6Fr 가이딩 카테터를 통해서도 two-stent technique이 가능지

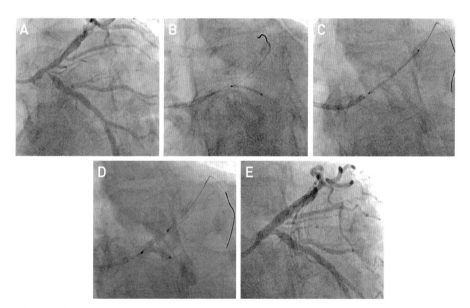

그림 1. 경요골동맥을 이용한 분지병변을 동반한 좌주간 동맥질환질환 중재시술.

A : 진단적 혈관조영술 결과(Medina 분류 1,1,1)

B : 좌측 요골동맥에 6 Fr 유도초 삽입하여 6Fr JL 가이딩 카테터를 이용하여 mini-crush with sleeve 기법으로 스텐트 삽입을 계획하여 좌회선지 동맥에 3.5×13 mm Orsiro® 스텐트를 삽입함.

C : 풍선을 이용한 stent crush와 kissing balloon dilation시행 후 좌전하행지에 4.0×30 mm Orsiro® 스텐트를 전개함.

D : 좌회선지 동맥에 rewiring 후 final kissing balloon dilation을 시행함.

E : 최종 조영술 결과.

만, 좌주간지 원위부병변의 경우에는 혈관 크기가 더욱 큰 경우가 대부분이므로 큰 스텐트를 사용하게 되고 two-stent technique이 사용되는 상황도 많아서 내경이 큰 7Fr 가이딩 카테터를 필요로 하게 되는 경우가 발생한다. 다만, two-stent technique에서도 두 개의 스텐트를 동시에 진입시켜 전개하는 방법대신 순차적으로 큰 직경의 스텐트 먼저, 작은 직경의 스텐트는 나중에 삽입하면 6Fr 가이딩 카테터로도 가능할 수 있다(그림 1).[21]

새로운 유도초나 무유도초 가이딩 카테터를 사용하면 경요골동맥 중재술 시 가이딩 카테터의 크기에 대한 제약이 상당히 줄어든다. 이러한 도관들은 벽의 두께가 얇아서 같은 외경이어도 종래의 기구에 비해 더 큰 내경이 확보된다(그림 2). 예로써 6Fr의 Glidesheath® Slender (Terumo, Japan) 유도초의 외경은 2.46 mm로 기존의 5Fr 유도초의 외경인 2.30 mm와 비슷하지만 내경은 2.22 mm로 6Fr 가이딩 카테터가 충분히 통과할 수 있다. 유도초가 필요하지 않은 6.5Fr Sheathless Eaucath® 가이딩 카테터(ASHAHI Intecc, Japan)의 경우 외경이 2.16 mm로 5Fr 유도초의 외경(2.30 mm)보다 작지만 내경은 1.78 mm로서 6.5Fr에 해당되며, 7.5Fr 무유도관 가이딩 카테터의 경우에는 외경이 2.49 mm로서 기존 6Fr 유도초의 외경(2.52 mm)보다 작지만 내경은 2.06 mm로서 7.5Fr에 상당 내경을 확보할 수 있어 좌주간지 원위부 분지병변에서 two-stent technique 적용이 가능하다.[22] 다혈관질환 환자의 경피적 관상동맥 중재술시 흔히 사용되는 혈관내 초음파나 회전죽종절제술의 적용 역시 용이하다.[8]

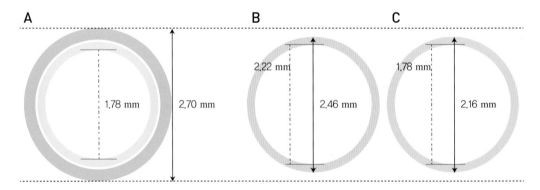

그림 2. 유도초 및 가이딩 카테터 구경 비교.
A : 일반 6 Fr 유도초 및 가이딩 카테터
B : Glidesheath® Slender 6Fr (Terumo, Japan) 유도초
C : Sheathless Eaucath® 6.5Fr (ASHAHI Intecc, Japan) 가이딩 카테터

경요골동맥 중재술 시에 가이딩 카테터 진입 시 주의할 점은 요골동맥의 직경이 작아 가이딩 카테터의 끝부분이 접히면서 날카로워 지는 'razor effect'에 의해 혈관벽이 손상을 받을 수 있다는 점이다. 이를 예방하기 위해서는 가이딩 카테터 삽입 전 요골동맥 조영술을 시행하여 대략적인 요골동맥의 크기와 모양을 파악하는 것이 좋고 진입 시 가이딩 카테터를 회전시키면서 넣으면 가이딩 카테터 끝부분이 혈관벽에서 계속 미끄러지므로 손상 방지에 도움이 될 수 있다. 추가적인 기구가 소요되지만 변형된 모자카테터기법(modified mother and child technique)이나 BAT (balloon assisted tracking) technique 등도 소개가 되어 있다(그림 3).[23, 24]

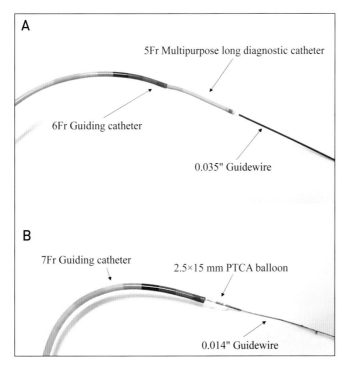

그림 3. 굵은 가이딩 카테터 진입 시 요골동맥 손상 예방을 위한 방법들.
A : modified mother and child technique
B : BAT (balloon assisted tracking) technique.

2 심인성쇼크에서 경요골동맥 중재술

심인성쇼크는 급성심근경색증 환자의 주요 사망원인으로서 발생률은 4~7%에 달한다.[25, 26] 심인성쇼크 환자에게 조기 재관류술은 장기 예후에 유의한 영향을 끼치므로 조기에 적극적인 경피적 관상동맥 중재술이 필요하다.

1) 심인성쇼크에서 경요골동맥 중재술의 장점

심인성쇼크 환자의 경요골동맥 중재술은 경대퇴동맥 중재술에 비해 사망률과 출혈 합병증을 유의하게 낮춘 것으로 보고된 바 있다. Mamas 등은 대규모 코호트 연구에서는 심인성쇼크 환자 중 경요골동맥 중재술 시 30일 사망률, 주요 심혈관 사건, 주요 출혈률을 경대퇴동맥 중재술에 비해 각각 44%, 37%, 63% 감소시킨 결과를 보고하였다.[27] 이 연구에서는 혈관접근로에 대한 무작위 배정이 이루어지지 않았고, 실제로 경대퇴동맥 중재술 군에서 혈압 상승제를 사용했거나 대동맥내풍선펌프가 적용된 중증의 환자들이 더 많았지만 변수의 보정 후에도 경요골동맥 중재술의 일관된 우세가 지속된 것으로 나타났고 출혈성 합병증의 감소가 저명하였다. 특히 ST분절상승 급성심근경색증의 경우 다양한 항응고제가 사용되고 혈전용해제가 병용되는 경우도 있어 천자부위의 출혈합병증 감소 효과는 실제 임상경과에도 상당한 이점을 가져온다.

경대퇴동맥 중재술와 관련된 합병증에 취약한 고령 환자에서 특히 경요골동맥 중재술은 장점을 발휘한다. 특히 심인성쇼크가 동반된 중증의 고령 환자에게 경요골동맥 중재술 후 조기 보행 및 재원 일수의 감소는 긍정적인 임상 결과와 관계가 있을 것으로 보인다.[29] 경요골동맥 중재술이 심인성쇼크 환자의 사망률 혹은 주요 심혈관 사건을 낮추는 기전에 대해서는 명확하지 않으나, 낮은 출혈 합병증이 기여하는 것으로 알려져 있다. 급성관동맥증후군에서 심인성쇼크는 주요 출혈의 위험인자로써, 특히 경피적 관상동맥중재술 환자의 주요 출혈 합병증에서 상당부분 천자부위 출혈과 연관되어 있다고 보고되고 있기 때문이다. 또한 수혈과 관련된 합병증이 경요골동맥 중재술군에서 유의하게 낮은 것도 관련되어 있을 것으로 보인다.[27]

2) 심인성쇼크에서 경요골동맥 중재술의 단점

중증의 심인성쇼크의 경우 낮은 혈압으로 인해 요골동맥 맥박이 촉지되지 않아 혈관 천자에 어려움을 겪을 수 있다. 또한 심인성쇼크 환자의 처치 과정에서 요골동맥을 통한 혈액 검사 혹은 혈압 감시로 인해 혈관의 경련, 혈전 혹은 혈종이 발생하는 경우 역시 천자에 어려움을 겪을 수 있다. 혈압이 낮아 요골동맥 맥박이 촉지되니 않는 경우 혈압 상승제를 사용하여 맥박이 촉지되도록 한 뒤 천자를 하는 방법도 고려할 수 있으나, 경요골동맥 중재술에 숙련되지 않은 시술자의 기술적인 미숙이나 무지로 인해 시술이 지연되는 경우 심인성쇼크 환자의 임상경과에 악영향을 끼칠 수 있으므로 경요골동맥 중재술뿐만 아니라 경대퇴동맥 중재술에 대한 숙련도 겸비해야 한다.[27, 28]

3) 경요골동맥 중재술에서 혈역학적 보조

IABP-SHOCK II 연구에서는 대동맥내풍선펌프의 적용 시에도 심인성쇼크가 동반된 급성 심근경색 환자의 사망률을 낮추지 못했음을 보였고, 현재 심인성쇼크 환자에게 있어 대동맥내풍선펌프의 일상적 사용은 지침에서 권고되지 않고 있다. 하지만 심인성쇼크 환자의 혈역학적 상태뿐만 아니라 임상적, 혈관조영술적 특성을 고려하여 시술 전 대동맥내풍선펌프를 삽입하면 경피적 관상동맥 중재술 후 시술 관련 합병증을 유의하게 감소시킨 보고도 있으며, 지침에서도 심인성쇼크 환자에게 선택적으로 적용할 수 있다고 권고하고 있다.[30] 또한 체외막 산소화 (extracorporeal membrane oxygenation) 보조 기구의 경우 심인성쇼크 환자에게 임상적인 유용성이 있다는 연구 결과도 있다.[31] 따라서 심인성쇼크 환자에게 있어 경요골동맥 중재술은 유사시 순환보조장치 삽입을 위한 대퇴동맥 접근통로를 추가로 확보할 수 있다는 장점이 있다(그림 4).[17]

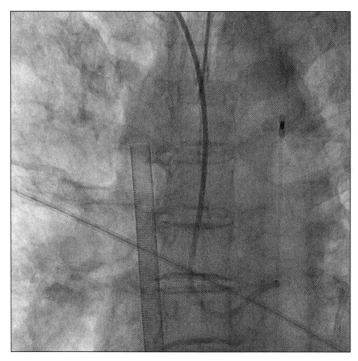

그림 4. 전벽부 ST 분절 급성심근경색으로 인한 심인성쇼크 환자에서 대동맥내풍선펌프와 체외막 산소화 보조 기구를 동시 적용한 상태에서 요골동맥을 이용한 관상동맥 시술을 진행 중인 증례

3 맺음말

좌주간지 병변, 다혈관질환, 또는 심인성쇼크가 동반된 환자의 치료에 있어 경요골동맥 중재술은 굵은 직경 가이딩 카테터의 사용이나 혈역학적 보조장비 적용에 문제가 있거나 시술 시간이 길어지리라는 전통적인 우려 때문에 적용이 주저되어 온 바가 있었다. 그러나, 경험과 신뢰가 축적되면서 이러한 복잡상황에서의 시술 시에도 활발히 적용이 확대되어 가고 있는 추세이다.

경요골동맥 중재술은 시술 후 환자의 편리함을 도모하고 출혈합병증 감소에 의한 임상적 이득이 확실히 증명된 기법이다. 심장 중재시술 의사라면 술기를 숙지하여 고위험환자에서도 적절히 활용할 수 있는 능력이 요구된다.

참고문헌

1. Kiemeneij F, Laarman GJ, de Melker E. Transradial artery coronary angioplasty. American heart journal. 1995;129:1-7.

2. Wu CJ, Lo PH, Chang KC, Fu M, Lau KW, Hung JS. Transradial coronary angiography and angioplasty in Chinese patients. Catheterization and cardiovascular diagnosis. 1997;40:159-63.

3. Taylor HA, Deumite NJ, Chaitman BR, Davis KB, Killip T, Rogers WJ. Asymptomatic left main coronary artery disease in the Coronary Artery Surgery Study (CASS) registry. Circulation. 1989;79:1171-9.

4. Cohen MV, Gorlin R. Main left coronary artery disease. Clinical experience from 1964-1974. Circulation. 1975;52:275-85.

5. Mohr FW, Morice MC, Kappetein AP, Feldman TE, Stahle E, Colombo A, et al. Coronary artery bypass graft surgery versus percutaneous coronary intervention in patients with three-vessel disease and left main coronary disease: 5-year follow-up of the randomised, clinical SYNTAX trial. Lancet (London, England). 2013;381:629-38.

6. Morice MC, Serruys PW, Kappetein AP, et al. Five-year outcomes in patients with left main disease treated with either percutaneous coronary intervention or coronary artery bypass grafting in the synergy between percutaneous coronary intervention with taxus and cardiac surgery trial. Circulation. 2014;129:2388-94.

7. Capodanno D, Stone GW, Morice MC, Bass TA, Tamburino C. Percutaneous coronary intervention versus coronary artery bypass graft surgery in left main coronary artery disease: a meta-analysis of randomized clinical data. Journal of the American College of Cardiology. 2011;58:1426-32.

8. Dahdouh Z, Roule V, Dugue AE, et al. Rotational atherectomy for left main coronary artery disease in octogenarians: transradial approach in a tertiary center and literature review. J Interv Cardiol. 2013;26:173-82.

9. Prasad SB, Malaiapan Y, Ahmar W, Meredith IT. Transradial left main stem rotational artherectomy and stenting: case report and literature review. Cardiovasc Revasc Med. 2009;10:136-9.

10. Ziakas A, Klinke P, Mildenberger R, et al. Comparison of the radial and femoral approaches in left main PCI: a retrospective study. The Journal of invasive cardiology. 2004;16:129-32.

11. Yang YJ, Kandzari DE, Gao Z, et al. Transradial versus transfemoral method of percutaneous coronary revascularization for unprotected left main coronary artery disease: comparison of procedural and late-term outcomes. JACC Cardiovasc Interv. 2010;3:1035-42.

12. De Maria GL, Burzotta F, Trani C, et al. Trends and Outcomes of Radial Approach in Left-Main Bifurcation Percutaneous Coronary Intervention in the Drug-Eluting Stent Era: A Two-Center Registry. The Journal of invasive cardiology. 2015;27:E125-36.

13. Chung S, Yang JH, Choi SH, et al. Transradial versus transfemoral intervention for the treatment of left main coronary bifurcations: results from the COBIS (COronary BIfurcation Stenting) II Registry. The Journal of invasive cardiology. 2015;27:35-40.

14. Weintraub WS, Grau-Sepulveda MV, Weiss JM, et al. Comparative effectiveness of revascularization strategies. N Engl J Med. 2012;366:1467-76.

15. Head SJ, Davierwala PM, Serruys PW, et al. Coronary artery bypass grafting vs. percutaneous coronary intervention for patients with three-vessel disease: final five-year follow-up of the SYNTAX trial. European heart journal. 2014;35:2821-30.

16. Park DW, Yun SC, Lee SW, et al. Long-term mortality after percutaneous coronary intervention with drug-eluting stent

implantation versus coronary artery bypass surgery for the treatment of multivessel coronary artery disease. Circulation. 2008;117:2079-86.

17. Cheng CI, Wu CJ, Fang CY, et al. Feasibility and safety of transradial stenting for unprotected left main coronary artery stenoses. Circulation journal : official journal of the Japanese Circulation Society. 2007;71:855-61.

18. Gao F, Zhou YJ, Wang ZJ, et al. Transradial Coronary Intervention Versus Coronary Artery Bypass Grafting for Unprotected Left Main and/or Multivessel Disease in Patients With Acute Coronary Syndrome. Angiology. 2016;67:83-8.

19. Yoo BS, Yoon J, Ko JY, et al. Anatomical consideration of the radial artery for transradial coronary procedures: arterial diameter, branching anomaly and vessel tortuosity. International journal of cardiology. 2005;101:421-7.

20. Youn YJ, Yoon J, Han SW, et al. Feasibility of transradial coronary intervention using a sheathless guiding catheter in patients with small radial artery. Korean Circ J. 2011;41:143-8.

21. Kirat T, Kose N, Altun I. Stent diameter and type matters in the decision of 6 Fr or 7 Fr guiding catheter selection during simultaneous kissing stent technique in bifurcation lesions. International journal of cardiology. 2016;221:1151-2.

22. From AM, Gulati R, Prasad A, Rihal CS. Sheathless transradial intervention using standard guide catheters. Catheterization and cardiovascular interventions : official journal of the Society for Cardiac Angiography & Interventions. 2010;76:911-6.

23. Patel T, Shah S, Pancholy S. "Combo" technique for the use of 7F guide catheter system during transradial approach. Catheterization and cardiovascular interventions : official journal of the Society for Cardiac Angiography & Interventions. 2015;86:1033-40.

24. Patel T, Shah S, Pancholy S, et al. Balloon-assisted tracking: a must-know technique to overcome difficult anatomy during transradial approach. Catheterization and cardiovascular interventions : official journal of the Society for Cardiac Angiography & Interventions. 2014;83:211-20.

25. Aissaoui N, Puymirat E, Tabone X, et al. Improved outcome of cardiogenic shock at the acute stage of myocardial infarction: a report from the USIK 1995, USIC 2000, and FAST-MI French nationwide registries. European heart journal. 2012;33:2535-43.

26. Goldberg RJ, Samad NA, Yarzebski J, et al. Temporal trends in cardiogenic shock complicating acute myocardial infarction. N Engl J Med. 1999;340:1162-8.

27. Mamas MA, Anderson SG, Ratib K, et al. Arterial access site utilization in cardiogenic shock in the United Kingdom: is radial access feasible? American heart journal. 2014;167:900-8 e1.

28. Roule V, Lemaitre A, Sabatier R, et al. Transradial versus transfemoral approach for percutaneous coronary intervention in cardiogenic shock: A radial-first centre experience and meta-analysis of published studies. Arch Cardiovasc Dis. 2015;108:563-75.

29. Louvard Y, Benamer H, Garot P, et al. Comparison of transradial and transfemoral approaches for coronary angiography and angioplasty in octogenarians (the OCTOPLUS study). The American journal of cardiology. 2004;94:1177-80.

30. Briguori C, Airoldi F, Chieffo A, et al. Elective versus provisional intraaortic balloon pumping in unprotected left main stenting. American heart journal. 2006;152:565-72.

31. Kar B, Basra SS, Shah NR, Loyalka P. Percutaneous circulatory support in cardiogenic shock: interventional bridge to recovery. Circulation. 2012;125:1809-17.

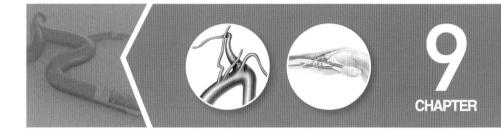

요골동맥을 통한 복잡병변의 중재시술(만성폐색병변 분지부 병변, 석회화 병변)

Transsradial intervention for complex lesions
(Chronic total occlusion,
Bifurcation, Calcified lesion)

9 Chapter

요골동맥을 통한 복잡병변의 중재시술
(만성폐색병변, 분지부 병변, 석회화 병변)

Transradial intervention for complex lesions
(Chronic total occlusion, Bifurcation, Calcified lesion)

대구가톨릭대학교병원 이진배
가톨릭의대 부천성모병원 김희열
인제의대 해운대백병원 김두일

1 서론

일반적으로 복잡한 병변의 경우 강력한 후방지지와 여러 가지 기구의 동시 사용을 위해 큰 구경의 가이딩 카테터가 필요하다. 이러한 문제를 극복하기 위해 과학 기술(technology) 발전에 따른 기구 개발과 중재시술에 의해 고안된 술기(technique)의 발전으로 복잡한 병변도 요골동맥을 통한 시술이 대퇴동맥을 통한 시술을 대체해 가고 있다. 이 장에서는 요골동맥을 통한 만성폐색병변, 분지부 병변, 석회화 병변의 치료에 도움이 될 만한 기술이나 술기를 논하고자 한다.

2 본론

1) 분지부 병변

관동맥 분지부 병변은 가장 까다로운 병변 중 하나로 성공률이 낮고 절차상 합병증 위험이 높으며 비 분지부 병변보다 재협착율이 높다. 분지부 혈관 성형술에서 풍선과 스텐트를 사용하는 절차적 접근법의 발전으로 합병증과 재 협착이 감소되었다. 한편, 대퇴부 접근을 위한 대퇴동맥 봉합 장치의 개발에도 불구하고 접근로 합병증은 여전히 낮지 않다. 특히, 두 개의 스텐트 또는 두 개의 풍선을 함께 넣을 수 있는 더 큰 직경의 카테터가 필요하기 때문에 분지부 혈관 중재시술에서의 대퇴동맥을 통한 접근은 합병증의 위험이 더 높을 수 있다. 따라서 대다수의 의사와 환자는 대퇴동맥 접근법보다 요골동맥 접근법을 선호한다. 요골동맥을 통한 분지부 병변의 치료는 기술적으로 까다롭지만 이와 관련한 최근의 실제 방법들을 사용하면 대부분의 어려움들은 극복 가능하다.

(1) 가이딩 카테터 선택

최근 혈관 중재시술 장치 기술의 발전으로 4Fr, 5Fr 크기와 같은 더 작은 가이딩 카테터를 사용할 수 있게 되었다. 그러나, 내경이 더 작기 때문에 이러한 가이딩 카테터는 기구 호환성 및 혈관 중재시술과 관련하여 한계가 있다. 분지부 스텐트를 안전하게 수행하기 위해 대개 6Fr의 큰 내경의 가이딩 카테터(예 : Launcher®, Metronic)를 권장한다. 6Fr 가이딩 카테터에 비해 직경이 너무 작은 요골동맥의 작은 요골동맥의 경우 무유도초 가이딩 카테터(sheathless catheters) (Asahi Intec, Aichi, Japan)를 사용하여 5Fr 카테터의 외경으로 6Fr 가이딩 카테터에 해당하는 내경을 이용할 수 있다. 그러나, 선택된 환자에서 동시 키싱 스텐트(simultaneous kissing balloon technique) 기술 또는 고전적인 분쇄 기술을 수행하기 위해 다량의 심근을 위태롭게 하는 큰 쪽 분지가 있는 경우 7Fr 가이딩 카테터가 필요한 경우가 있을 수 있다. 이런 경우에는 6Fr 카테터와 동일한 외경을 가지지만 7.5Fr의 내경을 갖는 7.5Fr 무유도초 가이딩 카테터를 사용하면 동시 키싱 스텐트가 가능하다.

(2) 6Fr 가이딩 카테터를 이용한 분지부 스텐트 삽입술.

분지부 잠정중재시술(provisional side branch stenting) 전략은 분지부병변의 선호되는 치료법 중 하나이다. 특히, 6Fr 가이딩 카테터를 통해 2개의 스텐트를 배치할 수 없는 경우, 단계적 절차가 필요하다. 분지부 잠정중재시술시 스텐트삽입의 첫 번째 단계는 비틀림의 위험을 최소화하기 위해 시술이 가장 어려운 부위에서 시작하여 분지부에 2개의 가이드 와이어를 삽입하는 것이다. 두 번째 단계는 필요한 경우 일반적으로 주혈관을 먼저 확장하는 것이다. 잠정중재시술 시 스텐트에 미치는 압력손상을 방지하기 위해 분지혈관을 미리 확장하지 하지 않는 것이 좋다. 주 혈관의 스텐트 삽입 후 다음 단계는 분지혈관이다. 분지혈관이 매우 작거나 잘 유지되며 통증이 없고 심전도가 변하지 않는 경우 시술을 종료한다. 분지 혈관이 중요하고 손상되는 경우 가이드 와이어를 스텐트 지주(stent strut) 사이로 분지혈관에 재삽입하고, 주혈관과 분지혈관에 키싱 풍선확장을 시행한 후 스텐트를 T 스텐트, Culotte, Internal Crush 또는 TAP (T and Protrusion) 기법으로 분지혈관에 배치한 다음 키싱 풍선을 시행하는 것이 필수적이다. 이 시술은 6Fr 가이딩 카테터로 충분히 시행할 수 있다.

분지혈관이 중요하고 우선 스텐트를 분지 혈관에 넣어야 하는 경우 reverse culotte 또는 수정된 crush 기법을 선택할 수 있다. reverse culotte 기법의 경우 분지혈관에 스텐트 삽입을 먼저 시행한 다음 주혈관 스텐트 지주를 통해 풍선으로 확장을 시행한다. 그리고 주혈관에 스텐트 삽입하고 마지막으로 키싱 풍선술을 한다. 수정된 crush 스텐트 기술의 경우, 첫 번째 단계는 분지병변의 사전 확장이고, 두 번째 단계는 분지혈관에 스텐트를 위치하고 주혈관에 풍선을 위치시킨다. 그 다음, 분지혈관 스텐트는 주혈관내 풍선에 대하여 전개되어, 주혈관 내에서 분지혈관 스텐트를 압착한다. 그 다음 주혈관에 스텐트를 넣은 후 마지막으로 키싱 풍선을 한다. 많은 시술자가 주요 혈관 스텐트를 배치하기 전에 이중 키싱 확장을 수행한다.

(3) 5Fr 가이딩 카테터에서 키싱 풍선술

6Fr 가이딩 카테터 시스템에서 키싱 풍선술(kissing balloon technique)을 쉽게 수행할 수 있다. 최근 풍선과 가이드 와이어의 미세화 기술이 발달하고 가이딩 카테터 내경이 증가하면서 5Fr 가이딩 카테터 시스템으로도 키싱 풍선술을 수행할 수 있다. 일본의 경우 풍선 카테터 및 가이드 와이어의 소형화 기술로 0.010" Slender 01 가이드 와이어(Japan Lifeline, Japan)와 슬림한 Ikazuchi-0® 풍선 카테터(Kaneka Medicus, Tokyo, Japan)로 5Fr 가이딩 시스템에서 키싱 풍선술을 쉽게 시행할 수 있다.

2) 만성폐색병변

성공적인 만성폐색병변에 대한 중재시술은 장기간 생존율의 개선, 증상의 감소, 좌심실 기능 개선 및 관상 동맥 우회로술의 필요성 감소와 관련이 있다. 새로 개발된 기구와 역행적 접근법(retrograde approach)을 결합하여 높은 성공률을 얻을 수 있다. 대퇴 동맥은 대부분의 병원에서 만성폐색병변의 중재에 사용되는 통상적이고 유리한 혈관 접근 경로이다. 그러나, 대퇴부 접근이 사용될 때, 국소 출혈 관련 합병증이 흔하다. 접근 경로의 선택은 요골동맥 접근을 요구할 수 있는 개별적인 환자 상황(예를 들어 심한 말초 혈관 질환)에 의존 할 뿐만 아니라 시술자의 선호도에도 달려있다. 최근 혈관 합병증의 감소, 환자의 편의성, 조기 퇴원 및 입원 기간 단축으로 인한 경제성으로 요골동맥 중재술에 대한 관심이 높아지고 있으며, 기구와 장치의 소형화, 기술 개선 및 요골동맥을 통한 시술에 경험 증가와 숙련도 향상으로 만성폐색병변 중재에도 적용이 늘어나고 있다.

(1) 만성폐색병변 중재시술의 가이딩 카테터

가이딩 카테터 선택은 만성폐색병변 중재시술 시 성공의 중요한 요인이다. 가이딩 카테터의 동축 방향, 양호한 안정성 및 최적의 지지력을 사용하여 가이드 와이어 통과 및 후속 장치 전진에 대한 최대 지원을 제공하는 것이 중요하다. 가이딩 카테터의 선택은 개인적인 경험과 선호도에 의해 결정된다. 보다 큰 수동적 지지를 제공하는 7Fr 또는 8Fr 가이딩 카테터 또는 동맥의 근위부로 깊숙이 삽입 된 후 우수한 지지력을 갖는 큰 내경의 6Fr 또는 5Fr 가이딩 카테터가 사용된다. 가장 복잡한 병변에서 7Fr 가이딩 카테터는 병렬(parallel) 가이드 와이어 기술을 한 2개의 가이드 와이어과 2개의 풍선 카테터를 전진시키기에 충분히 크다. 반면에 6Fr 가이딩 카테터는 보다 적은 기구가 삽입되어도 시술이 가능한 만성폐색병변 중재시술에 적합하다. 혈관내초음파 유도기법을 사용하는 경우, 5Fr은 OptiCross (oston Scientific, USA) 혈관내초음파 카테터가 진단을 위해 가능 하나 다른 기구들이 같이 들어가는 경우 6Fr 이상의 가이딩 카테터가 필요하다. 가이딩 카테터 크기를 선택할 때 조영제의 사용량은 7Fr 또는 8Fr 가이딩 카테터보다 6Fr 가이딩 카테터가 더 작은 장점이 있다. 크기의 한계로 인해 만성폐색병변 중재시술의 가이딩 카테터의 접근로로는 사용되지 않더라도 대측성(contralateral) 혈관조영에 5 또는 6Fr 진단 카테터를 쉽게 사용할 수 있다.

(2) 성공적인 만성폐색병변 시술을 위한 환자 선택 및 지지력 확보

만성폐색병변에 대한 중재시술의 경우 강력한 지지력 및 대측성 조영제 주입이 일반적으로 중요하다. 요골동맥을 통한 접근은 가이딩 카테터를 통한 백업 지원이 부족하기 때문에 만성폐색병변에 대한 높은 성공률을 달성하려면 적절한 사례 선택이 중요하다. 만성폐색병변에서 경요골동맥 접근의 발생가능한 단점은 요골동맥을 통해 깊은 카테터 삽입기법(deep engagement technique)을 사용하여 극복할 수 있다. 지난 몇 년 동안 만성폐색병변 대한 시술 성공률은 가이드 와이어 기술의 향상으로 인해 향상되었다. 그러나 가이드 와이어가 성공적으로 통과한 후에 풍선 도관이 폐색병변을 통과하지 못하는 것은 여전히 큰 문제인데 보다 나은 지지력 지원을 위해 몇 가지 기술이 제안되었다. 알파 루프를 만들어 대동맥 지지력을 증가시키거나 가이딩 카테터를 깊이 삽입하거나, 보다 작은 카테터를 가이딩 카테터에 넣어 모자카테터기법 (mother and child technique)을 하거나, 다른 분지부 혈관에 풍선을 확장하여 마찰력으로 지지하는 풍선고정술(anchor balloon)을 사용하는 방법들이 사용된다. 복잡한 만성폐색병변은 대측성 혈관조영술이 중요하기 때문에, 2개의 요골동맥, 2개의 대퇴동맥 또는 1개의 요골동맥 및 1개의 대퇴동맥과의 병용 사용 등에 대해서는 병변의 상태, 환자의 접근로혈관 상태, 시술자의 숙련도를 고려하여 선택해야 한다.

3) 석회화병변

고령화로 인해 심혈관 중재시술이 빈번하게 수행됨에 따라 석회화 관동맥 병변의 시술 빈도가 기하급수적으로 증가했다. 혈관내초음파는 관상동맥에 석회화(칼슘)가 감소된 혈관벽 순응도의 중요한 결정인자임을 보여 주었으며, 스텐트는 석회화병변을 치료하는데 효과적이지만 종종 스텐트를 이용한 병변치료가 쉽지 않을 수 있다.

(1) 석회화병변 시술 시 가이딩 카테터 선택

석회화 병변의 시술 시에는 가이딩 카테터 선택이 중요한데 강한 지지력이 필요하다. 6Fr 가이딩 카테터는 대부분의 시술에 적합한데, 요골동맥의 직경이 6Fr 만큼 충분히 크지 않으면 무유도초 가이딩 카테터가 좋은 대안이 될 수 있다. 최근의 과학적 분석에 따르면 지지력은 접근 지점이 아닌 카테터의 메커니즘에 의해 결정된다. 왼쪽 관동맥에서 대동맥의 반대쪽 벽(수동 백업)에 기대는 두 번째 곡선을 가진 넓은 전이 가이딩 카테터로 양호한 지지력을 얻을 수 있다(그림 1). 일반적으로 여분의 지지력은 EBU (Medtronic), XB (Cordis) 또는 Voda (Boston Scientific)로 충분할 수 있으며 드문 경우 Amplatz 카테터가 필요하다. 우관동맥에서 Amplatz 카테터는 든든한 지지력으로 시술을 용이하게 해주는데, 보통 Amplatz left (AL) 1, 작은 대동맥에 대해 AL 0.75, 확장된 대동맥뿌리(aortic root)에 대해서는 AL 1.5 또는 2.0으로 우수한

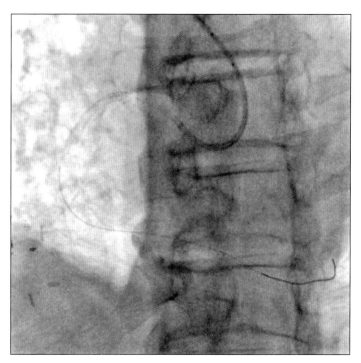

그림 1 대동맥의 반대쪽 벽에 기대는 수동백업

지지력를 얻을 수 있다. 또한 능동적인 카테터 각도 조작은 기구들의 전진 향상에 대한 지지력을 향상시키는 데 도움이 될 수 있다. 가이드 와이어 또는 풍선 고정기술은 자주 사용되는데 근접한 적당한 크기의 분지 혈관이 있는 경우 두 번째 가이드 와이어 지점에 삽입되어 카테터 위치를 제자리에 고정시킬 수 있다. 풍선고정술(Anchor balloon technique)을 사용하여 풍선과 함께 와이어를 폐색에 인접한 분지혈관에 고정하기도 하고 가이딩 카테터를 풍선 카테터 몸통(shaft) 위로 밀어넣으면 더 깊은 삽입이 가능해져서 더 큰 지지력을 얻을 수 있다.

여러 방법으로도 충분한 지지력을 얻을 수 없는 경우에는 가이드연장카테터(guide extension catheter)를 사용해 볼 수 있다. 가이드연장카테터는 임상에서 Guideliner V3® 카테터(Vascular Solutions, Minneapolis, MN)와 Guidezilla® 카테터(Boston Scientific, Natick, MA)를 사용해 볼 수 있다(표 1), (그림 2).

(2) 석회화 병변에서 가이드 와이어

관동맥 가이드 와이어는 석회화 병변의 혈관재개통술을 위한 가장 보편적인 기술이다. 석회화 병변에는 일반적으로 두 가지군의 가이드 와이어가 사용된다 : 고분자 코팅 및 코일 전선, 폴리머로 코팅된 와이어는 마찰을 현저하게 줄여주는 친수성 코팅이 되어있어 혈관 내강을 통해 매우 쉽게 움직일 수 있다. 이 기능은 가이드 와이어를 원위부로 전진시킬 때 잘못된 내강, 긴 박리 또는 천공을 일으킬 위험이 증가할 수 있다. 코일 가이드 와이어는 양호한 추진력을 유지하면서 회전력 특성을 유지한다. 가이드 와이어의 끝부분으로 갈수록 가늘어지는 (tapered tip) 가이드 와이어를 사용하면 통상적인 0.014" 코일 가이드 와이어보다 미세 통로 (microchannel)에 진입할 기회가 더 많아진다. 보다 강한 코일 가이드 와이어를 사용하면 더 단단한 끝은 관통 능력을 증가시킬 수 있지만, 가성 내강에 가이드 와이어가 진입할 위험이 높아진다. Gaia®(Asahi Co.)와 같은 특정 가이드 와이어를 사용하는 경우 관통 가능성을 줄이기 위해 항상 3차원적인 가이드 와이어 방향에 대한 주의가 필요하므로 여러 각도에서 확인을 하거나 회전 조영술을 시행하면서 시술하는 것이 안전하다. 석회화 병변을 확장할 수 있는 기구로는 커팅 풍선과 Angiosculpt balloon, 죽종절제술 등이 있다.

(3) 계산된 병변의 회전죽종절제술(rotational atherectomy)

요골동맥을 이용한 시술시 회전죽종절제술의 주요 목적은 표면 칼슘을 제거하여 병변이 쉽게 팽창되도록 하는 것이다(그림 3). 요골동맥을 이용한 시술시 가이딩 카테터의 크기가 제한되어 있기 때문에 일반적으로 burr의 직경이 충분하지 않을 수 있다. 6Fr 가이딩 카테터는 burr 크기가 1.5 mm까지 사용 가능하고 2.0 mm 이상의 burr는 8Fr 가이딩 카테터는 되어야 사용이 가능하다(표 2).

(4) 석회화 병변의 스텐트 시술

석회화 병변에서 스텐트 삽입은 각이 진 부분이 있거나 돌출된 석회화 병변이 있는 경우 스텐트를 전진시키기 어렵다. 더 큰 풍선으로 확장 하거나 이중(또는 삼중) 가이드 와이어의 삽입은 스텐트를 전진시키는데 도움이 될 수 있으며 보다 유연한 스텐트를 선택하면 쉽게 전진시킬 수 있다. 석회화 병변에서 전진이 되지 않을 때 반복적인 스텐트 삽입과 회수는 스텐트 지주의 파손으로 스텐트가 풍선카테타에서 이탈될 수 있으므로 주의하여야 한다.

 최근 우리나라에 요골동맥을 이용한 중재시술이 증가하는 추세에 있으나 복잡병변의 경우 카테터 내경의 제한으로 인해 제한점이 있다. 그러나 내경이 큰 카테터의 개발과 작아진 시술 기구들의 발전, 그리고 시술자들의 숙련도 향상으로 복잡병변에도 요골동맥을 통한 시술이 늘고 있으며, 이는 환자의 편의성을 증가시키고 혈관접근로 관련 합병증을 줄여 국민건강에 이바지할 것으로 기대된다.

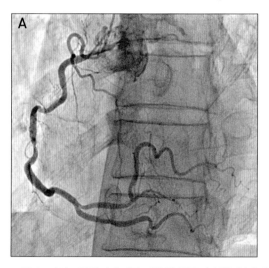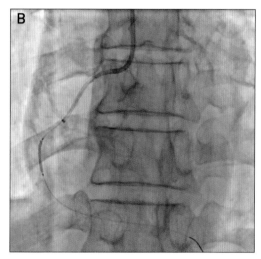

그림 2 가이드연장카테터를 이용한 굴곡이 심한 혈관에서 시술례
　　　A : 굴곡이 현저한 우관동맥에서 스텐트가 통과되지 않음.
　　　B : 가이드연장카테터를 이용하여 쉽게 스텐트가 통과됨.

표 1. 가이드연장카테터의 특징 비교

	Guideliner V2	Guidezilla
Sizes Offered	5.5F (1.60 mm) 6F (1.7 mm) 7F (1.90 mm) 8F (2.16 mm)	6F (1.7 mm)
ID	0.056" (6F measurements, 1.42 mm)	0.057" (1.45 mm)
OD	0.067" (6F measurements, 1.70 mm)	0.066"(1.68 mm)
Distal guide length	25 cm	25 cm
Proximal Shaft	Stainless steel ribbon	Stainless steel hypotube
Coating	Silicone wipe	Hydrophilic (Bioslide)
Collar Type	All—polymer collar	Stainless steel collar embedded in polymer
Marker Band	1 distal MB at tip; 1 MB distal to collar	1 distal MB at tip; 1 MB distal to collar

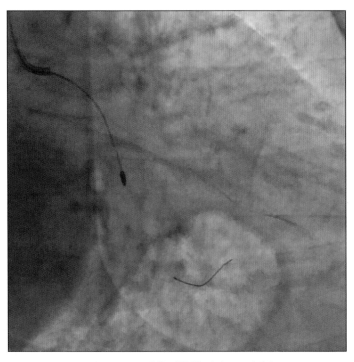

그림 3 요골동맥을 이용한 회전죽종절제술

표 2. 가이딩 카테터에 따른 Burr의 선택

Burr diameter		Recommended guide catheter (French)	Minimum ID required (Inches)
Mm	Inches		
1.25	0.049	6.0	0.060
1.50	0.059	6.0	0.063
1.75	0.069	7.0	0.073
2.00	0.079	8.0	0.083
2.15	0.085	8.0	0.089
2.25	0.089	9.0	0.093
2.38	0.094	9.0	0.098
2.50	0.098	9.0	0.102

참고문헌

1. Brueck M, Bandorski D, Kramer W, et al. A randomized comparison of transradial versus transfemoral approach for coronary angiography and angioplasty. JACC Cardiovasc Interv 2009;2:1047–54.

2. Jolly SS, Amlani S, Hamon M, et al. Radial versus femoral access for coronary angiography or intervention and the impact on major bleeding and ischemic events: A systematic review and meta-analysis of randomized trials. Am Heart J. 2009;157:132-40.

3. Cola C, Miranda F, Vaquerizo B, et al. The Guideliner™ catheter for stent delivery in difficult cases: tips and tricks. J Interv Cardiol. 2011;24:450-61.

4. de Man FH, Tandjung K, Hartmann M, et al. Usefulness and safety of the GuideLiner catheter to enhance intubation and support of guide catheters: insights from the Twente GuideLiner registry. EuroIntervention. 2012;8:336-44.

5. Eddin MJ, Armstrong EJ, Javed U, et al. Transradial interventions with the GuideLiner catheter: role of proximal vessel angulation. Cardiovasc Revasc Med. 2013;14:275-9.

6. Tonomura D, Shimada Y, Yano K, et al. Feasibility and safety of a virtual 3-Fr sheathless-guiding system for percutaneous coronary intervention. Catheter Cardiovasc Interv. 2014;84:426-35.

7. Alaswad K, Menon RV, Christopoulos G, et al. Transradial approach for coronary chronic total occlusion interventions: Insights from a contemporary multicenter registry. Catheter Cardiovasc Interv. 2015;85:1123-9.

8. Youn YJ, Lee JW, Ahn SG, et al. Current practive of transradial coronary angiography and intervention: Results from the Korean Transraddial Intervention Prospective Registry, Korean Circ J, 2015;45:457-68

9. Chung S, Yang JH, Choi SH, et al. Transradial versus transfemoral intervention for the treatment of left main coronary bifurcations: results from the COBIS (COronary BIfurcation Stenting) II Registry. J Invasive Cardiol 2015;27:35-40.

10. Tanaka Y, Moriyama N, Ochiai T, et al. Transradial Coronary Interventions for Complex Chronic Total Occlusions. JACC Cardiovasc Interv. 2017;10:235-43.

11. Bakker EJ, Maeremans J, Zivelonghi C, et al. Fully Transradial Versus Transfemoral Approach for Percutaneous Intervention of Coronary Chronic Total Occlusions Applying the Hybrid Algorithm: Insights From RECHARGE Registry. Circ Cardiovasc Interv. 2017;10. pii: e005255.

12. Takeshita S, Takagi A, Saito S. Backup support of the mother-child technique: technical considerations for the size of the mother guiding catheter. Catheter Cardiovasc Interv. 2012;80:292-97.

13. Karacsonyi J, Tajti P, Rangan BV, et al. Randomized Comparison of a CrossBoss First Versus Standard Wire Escalation Strategy for Crossing Coronary Chronic Total Occlusions: The CrossBoss First Trial. JACC Cardiovasc Interv. 2018;11:225-33.

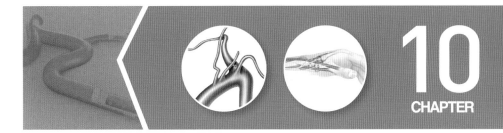

10
CHAPTER

말초동맥시술을 위한 경요골 접근법

Transradial Approach to Peripheral Intervention (Infraaortic)

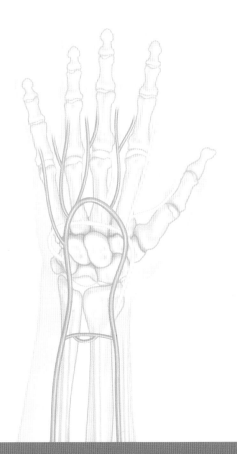

말초동맥시술을 위한 경요골 접근법

**Transradial Appro
ach to Peripheral Intervention (Infraaortic)**

고려대학교 구로병원 나승운
충남대학교병원 이재환

1 서론

장골-대퇴 동맥의 협착이나 폐쇄병변에 대해서 전통적인 중재시술기법은 주로 한쪽 또는 양쪽 대퇴동맥의 접근로를 이용해 시술하는 것이 전통적인 표준치료방법이라 할 수 있다. 대퇴동맥의 병변은 개구부위에 유의한 병변이 없으면 동측 대퇴동맥으로, 개구부위나 총대퇴동맥에 병변이 존재하면 반대측 대퇴동맥을 통하여 시술을 전개하는 것이 일반적이라 할 수 있겠다. 그러나 장골동맥의 경우, 병변이 대동맥 원위부를 지나자마자 장골동맥 개구부위를 포함하여 존재한다면, 반대편 대퇴동맥에서 접근하는 경우 유도초의 지지력이 약하고, 가이드 와이어나 시술기구의 조절이 쉽지 않기 때문에 많은 시술자들이 상완동맥(brachial artery)을 통해 양측으로 시술을 시도해 왔다.[1] 그러나 상완동맥 접근은 종종 출혈, 손 쪽으로의 기계적인 혈류의 제한으로 허혈성 합병증을 초래하거나, 천자부위 혈종의 확대로 구획 증후군(compartment syndrome)이 발생하여 응급 수술을 초래하기도 한다.[2-3]

요골동맥 접근로(transradial approach)는 현재까지 전세계적으로 관상동맥 중재시술에 광범위 하게 사용되어 오고 있다. 요골동맥 시술의 선호도가 갈수록 증가하는 추세는 바로 출혈 및 혈관 합병증이 대퇴동맥 접근에 비해 유의하게 적게 발생하고, 더 짧은 입원 및 회복기간, 보다 나은 임상결과들이 발표되어 오면서 더욱 광범위하게 사용되고 있다.[4]

요골동맥을 통한 하지혈관질환의 시술(장골동맥, 대퇴동맥, 슬와동맥 및 무릎 아래 동맥)은 시술용 유도초, 풍선, 스텐트 길이의 제한으로 광범위하게 사용되어지지 않고 있다. 그나마 비교적 시술이 용이한 장골동맥의 협착도 일부 보고만 있고,[6-12] 만성폐쇄병변은 더 제한된 보고만 있다.[13-14] 시술기구 길이의 제한으로 일반적으로 요골동맥을 통한 무릎아래 병변은 그동안 연구가 되어 있지 못하다.

2. 요골동맥을 통한 하지혈관질환 시술의 실제

1) 대퇴동맥 접근을 하지 못하는 전통적인 이유들

① 총대퇴동맥 병변

② 수술기왕력(femoral-femoral/Aorto-bifemoral bypass op)

③ 대동맥 스텐트그라프트의 존재

④ 반대편 하지의 장골동맥 폐쇄

⑤ 장골동맥 Kissing stenting 상태

⑥ 중증하지허혈(Critical Limb Ischemia)이지만 여러 부위의 병변(multi-level lesion)이 존재하는 경우

⑦ 서혜부의 접근이 어려운 상황(hostile groin)

2) 현재 요골동맥을 이용한 하지혈관 시술의 제한점들과 극복요령

① 혈관접근로 역할에 있어서 요골동맥의 제한점

; 동양 남성, 여성의 경우 6F sheath는 90% 이상의 환자에서 무리없이 사용할 수 있으나, 7Fr sheath의 경우 남성은 80%, 여성은 60% 정도에서 사용할 수 있는 상황이라, 6Fr 정도의 크기에서 하지혈관 시술을 진행하기에는 어려움이 있을 수 있다. 혈관확장제인 nitroglycerin 등을 충분히 사용하고, 유도초에 윤활유를 바르고, 진통제와 안정제를 적절히 사용하여 이러한 어려움을 최소화할 수 있다.

② 요골동맥 접근로 기시부에서부터 목표병변까지의 거리

 ; 요골동맥에서 복부대동맥 분지부위까지의 거리는 상당히 변이가 심한데, 주로 환자의
키, 혈관의 굴곡정도, 그리고 좌측 또는 우측 요골동맥을 사용하냐에 따라 10 cm 정도 차
이가 날 수 있다. 일반적으로 사용되는 110 cm의 유도초를 사용할 경우 대개 복부 대동맥
에서 장골동맥 분지부위 근처에 다다를 수 있다(그림 1).

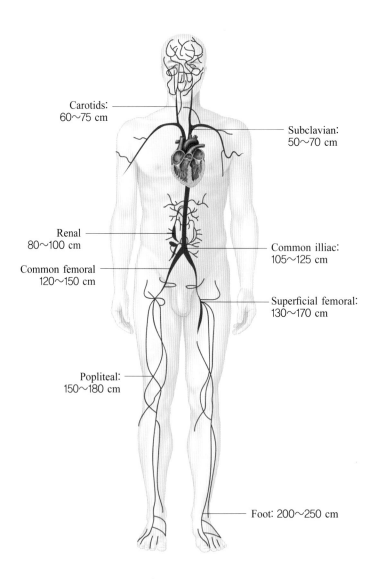

Carotids:
60~75 cm

Subclavian:
50~70 cm

Renal
80~100 cm

Common illiac:
105~125 cm

Common femoral
120~150 cm

Superficial femoral:
130~170 cm

Popliteal:
150~180 cm

Foot: 200~250 cm

그림 1. Distance from radial artery to target lesion[15]

③ 요골동맥을 통한 말초혈관시술시 제한점과 극복요령

A. 유도초 길이의 제한

; 현재 한국에서 사용할 수 있는 것은 5~8Fr long guiding sheath가 많이 사용되고 있는데, 6Fr Shuttle sheath or Ansel Checkflo guide sheath (Cook)를 사용해 볼 수 있겠다. 요골동맥의 직경이 넉넉할 경우 Vistabrite IG guiding sheath (Cordis)를 사용해 볼 수 있겠다. 유도초의 대동맥 분지병변에서의 방향조절과 분지선택은 유도초보다 길이가 긴 진단용 도관을 사용해야 하는데, 현재 한국에서는 125cm정도 길이의 5Fr Headhunter catheter나 한국회사에서 만드는 130~150 cm의 long multipurpose (MP)-1 catheter를 사용할 수 있겠다.

B. 풍선과 스텐트 길이의 제한

; 표 1, 2, 3은 흔히 사용되는 주요 회사들의 풍선과 스텐트의 사용 가능한 유도초 크기, 직경 그리고 shaft의 길이를 정리한 표이다. 비교적 길이가 긴 제품을 사용한다고 해도, 일반적으로 표재성 대퇴동맥의 중간 정도밖에 갈수가 없어서, 현재의 시술기구로서는 장골동맥과 대퇴동맥의 일부 정도가 시술 사정거리 안에 들어갈 수 있다고 생각된다. 저자는 한국회사들과 제품개발을 통해 요골동맥에서 무릎아래혈관까지 이를 수 있는 긴 유도초, 풍선, 스텐트를 개발하고 있어 향후 국산제품으로 하지 혈관 대부분을 치료할 수 있는 날이 올 수 있을 것이라 기대한다.

C. 긴 유도초를 사용함에 따른 요골동맥 반응의 제한점

; 관동맥 중재시술에 비해 말초혈관 시술은 긴 유도초를 사용하기 때문에 안전을 위해서는 일상적으로 요골동맥, 상박동맥의 혈관조영술을 시행하여 혈관기형이나 혈관 수축이 광범위하게 와 있는지 살펴보는 것이 중요하다. 이미 문제가 있는데 힘으로 무리하게 유도초를 삽입하면, 유의한 혈관 손상이 발생할 수 있으므로 너무 무리하지 않아야 한다. 일상적으로 sterile mineral oil을 유도초에 바르는 것도 좋고, midazolam이나 fentanyl, 진통제 등을 투여하여 진정, 통증관리를 하고, 혈관확장을 유도할 수 있는 nitroglycerin, calcium channel blocker (verapamil, nicardipine 등) 등을 투여하며 요골동맥을 최대한 확장시킨 후 유도초를 진입하는 것을 원칙으로 하는 것이 좋다.

표 1. Sheath size and shaft length of major balloons

Company	Product	Guidewire (inch)	Sheath (Fr)	Diameter (mm)	Shaft length (cm)
PTA balloons					
Abbott	Armada 14	0.014	4	1.5~4	150
	Viatrac	0.014	4~5	4~7	135
	Armada 35	0.035	5~7	3~14	135
Bard	Ultraverse	0.014~0.018	4~6	1.5~9	150~200
	Vascutrak	0.018	5~7	4~7	140
	Dorado	0.035	5~6	3~10	135
Boston Scientific	Coyote	0.014	4	1.5~4	150
	Sterling	0.018	4	2~4	150
	Mustang	0.035	5~7	4~7	135
Cook	Advance Micro	0.014	3	1.5~3	150
	Advance 14	0.014	4	2~4	170
	Advance 18~35	0.018~0.035	4~7	3~12	135
Cordis	Sleek	0.014	4	1.25~5	150
	Aviator	0.014	4~5	4~7	142
	Savvy	0.018	4~5	2~6	150
Covidien	NanoCross	0.014	4	1.5~4	150
	PowerCross	0.018	4~6	2~6	150
	EverCross	0.035	5~7	3~12	135
Medtronic	Amphirion	0.014	4	1.5~4	150
	Pacific	0.018	4~5	2~7	150
	Admiral	0.035	5~7	3~12	150

표 2. Sheath size and shaft length of major self-expandable stents

Company	Product	Guidewire (inch)	Sheath (Fr)	Diameter (mm)	Shaft length (cm)
Covidien	Protage	0.014	6	6~10	135
	Everflex	0.035	6	6~8	120
Medtronic	Complete	0.035	5	4~10	130
Gore	Viabahn	0.014~0.035	6~12	5~13	120
Abbott	AccuLink	0.014	6	5~10	135
	Xact	0.014	6	5~10	135
	Xpert	0.018	4~5	3~8	135
	Supera	0.018	4.5~6.5	6~7	120
	Absolute	0.035	6	6~10	135
Bard	LifeStent	0.035	6	6~10	135
	E-Luminex	0.035	6	4~14	135
Boston Scientific	WallStent	0.014	6	6~10	135
	Epic	0.035	6	6~12	120
Cook	Zilver	0.018~0.035	6	6~10	125
Cordis	Smart	0.035	6	6~10	120

표 3. Sheath size and shaft length of major balloon-expandable

Company	Product	Guidewire (inch)	Sheath (Fr)	Diameter (mm)	Shaft length (cm)
Abbott	Herculink	0.014	5	4~7	135
	Omnilink	0.035	6~7	6~10	135
Atrium	iCast †	0.035	6~7	5~12	120
Bard	Valeo	0.035	6~7	6~10	120
Boston Scientific	Express SD	0.018	5~6	4~7	150
	Express LD	0.035	6~7	6~10	135
Cook	Formula	0.014~0.018	5~6	4~6	135
Cordis	Palmaz	0.018~0.035	4~7	3~10	135
Covidien	VisiPro	0.018	6~7	5~10	135
Medtronic	Racer	0.014~0.018	5~6	4~7	130
	Assurant	0.035	6	6~10	130

3) 요골동맥을 이용한 하지혈관 시술의 예

다음은 증례를 통한 요골동맥 하지혈관 시술의 예이다. 62세 여자 환자가 하지 파행증을 주소로 내원, 하지혈관 CT과 조영술상 그림 2에서처럼 우측 장골동맥 기시부의 만성폐쇄병변이 관찰되었다.

우측 요골동맥은 6Fr, 좌측 요골동맥은 5Fr 짧은 유도초를 먼저 삽입하고, 우측에서 5Fr Pigtail catheter를 통해 대동맥분지부위에서 혈관 조영술을 시행하였다(그림 2). 대동맥 원위부까지 0.035" long stiff Terumo를 넣고 6Fr shuttle sheath를 삽입하고, 5Fr multipurpose (MP)-1 catheter를 진입한 후 0.018" CXI microcatheter (Cook)와 0.018" Connect Flex wire (Abbott Vascular)를 통해 CTO wiring을 시도하였다(그림 3). 좌측 요골동맥을 통해서는 다시 5Fr pigtail catheter를 넣어 혈관조영술 가이드를 진행하였다. 가이드와 이어이가 확실히 진강내에 (intraluminal) 진입한 것을 여러 각도에서 pigtail을 통한 혈관조영술로 확인한 후 순차적인 풍선확장술과 스텐트 삽입술을 시행하였다(그림 4, 5).

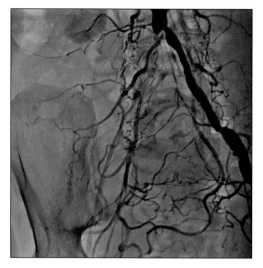

그림 2. Baseline angiography from radial artery through 5F pigtail catheter showed total occlusion in right common iliac artery and distal stump was visualized via diffuse collaterals at internal iliac artery bifurcation level.

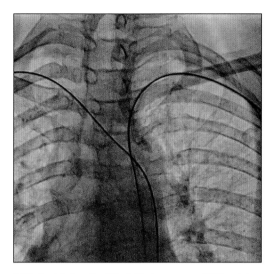
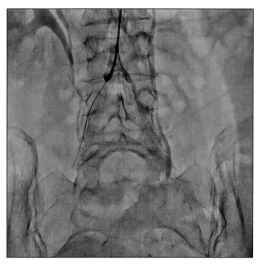

그림 3. Under the 5Fr MP-1 support, CTO wiring was done using 0.18" Connect Flex CTO wire (Abbott vascular).

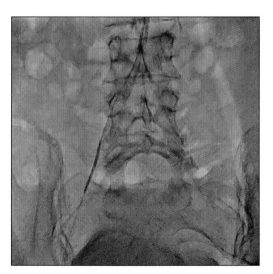
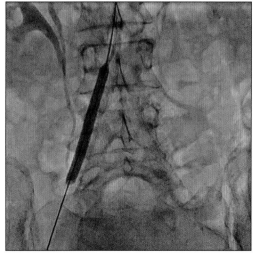

그림 4. Sequential predilation (2.0×30 mm) and stenting (Omnilink 7.0×59 mm, Abbott Vascular) via 6Fr shuttle sheath with 0.35" terumo wire system

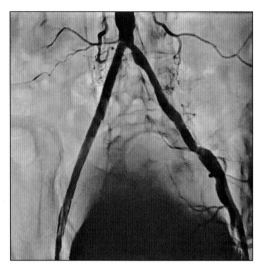

그림 5. Final Angiography

맺음말

요골동맥을 통한 하지 혈관 시술은 시술기구의 제한 점과 요골동맥의 크기와 상태에 따른 제한 점이 있으나, 상당히 안전하고 유용하게 하지 말초혈관 시술을 시행할 수 있다. 요골동맥을 통한 관상동맥 중재시술과 같이 대퇴동맥의 접근을 피함으로써 출혈 및 혈관합병증을 유의하게 줄일 수 있다. 하지 중재시술 후 대퇴부의 접근로를 지혈 시, 지혈 과정에서도 하지 혈류의 장애를 초래할 수 있으므로, 대퇴동맥부위를 보존하고 시술하는 것이 더 생리적이고 안전한 방법이라 할 수 있다. 반대편 대퇴동맥으로부터의 접근에 비해 장골동맥 기시부 폐쇄변변을 치료 시 더 지지력을 좋게 해 줄 수 있는 장점도 있다.

만성폐쇄병변의 가이드 와이어 통과 방법의 경우 시술자의 선호도에 따라 0.014" 또는 0.018" microcatheter를 통해 또는 OTW balloon을 통해 가이드 와이어 조작을 하거나, 4~5Fr MP-1 catheter로 교체 후 0.035" long soft Terumo (1.5J)를 이용한 subintimal angioplasty도 가능하다.

요즘은 MynxGrip vascular closure device (Cordis)의 사용으로 상박동맥의 지혈이 훨씬 용이해졌으므로, 요골동맥으로 완벽한 해결이 어렵다고 판단되는 경우 상박동맥으로 접근로를 이동하는 것도 또 다른 전략이 될 수 있고, 그럴 경우 무릎 아래 혈관도 상당구간을 같이 치료할 수 있는 장점이 있다.

요골동맥에서 대퇴동맥 원위부와 슬와부까지 스텐트를 삽입하려면 최소한 180 cm의 풍선과 스텐트 shaft 길이가 필요하고, 가능한 5~6Fr의 유도초로 시술을 마무리할 수 있게 시술기구들이 더 개발되어야 할 필요가 있다.

현재 요골동맥을 통한 하지혈관 중재시술은 연구결과가 매우 부족하고 광범위하게 사용되고 있지 않아 향후 더 많은 시술경험과 연구결과가 축적되어야 할 분야라 생각된다.

참고문헌

1. Berry C, Kelly J, Cobbe SM, et al. Comparison of femoral bleeding complications after coronary angiography versus percutaneous coronary intervention. Am J Cardiol. 2004;94:361-3.

2. Treitl KM, Konig C, Reiser MF, et al. Complications of transbrachial arterial access for peripheral endovascular interventions. J Endovasc Ther. 2015;22:63-70.

3. Kiemeneij F, Laarman GJ, Odekerken D, et al. A randomized comparison of percutaneous transluminal coronary angioplasty by the radial, brachial and femoral approaches: The access study. J Am Coll Cardiol. 1997;29:1269-75.

4. Jolly SS, Amlani S, Hamon M, et al. Radial versus femoral access for coronary angiography or intervention and the impact on major bleeding and ischemic events: A systematic review and meta-analysis of randomized trials. Am Heart J. 2009;157:132-40.

5. Pitta SR, Barsness GW, Lerman A, et al. Transradial iliac artery intervention with dual downstream embolic protection. J Vasc Surg. 2011;53:808-10.

6. Cortese B, Peretti E, Troisi N, et al. Transradial percutaneous iliac intervention, a feasible alternative to the transfemoral route. Cardiovasc Revasc Med. 2012;13:331-4.

7. Flachskampf FA, Wolf T, Daniel WG, et al. Transradial stenting of the iliac artery: A case report. Catheter Cardiovasc Interv. 2005;65:193-5.

8. Cortese B, Trani C, Lorenzoni R, et al. Safety and feasibility of iliac endovascular interventions with a radial approach. Results from a multicenter study coordinated by the italian radial force. Int J Cardiol. 2014;175:280-4.

9. Staniloae CS, Korabathina R, Yu J, et al. Safety and efficacy of transradial aortoiliac interventions. Catheter Cardiovasc Interv. 2010;75:659-62.

10. Shinozaki N, Ogata N, Ikari Y. Initial results of transradial iliac artery stenting. Vasc Endovascular Surg. 2014;48:51-4.

11. Lee S, Park H, Jang S, et al. A case of peripheral revascularization via the radial artery using devices designed for percutaenous coronary intervention. Korean Circ J. 2008;38:671-3.

12. Sanghvi K, Kurian D, Coppola J. Transradial intervention of iliac and superficial femoral artery disease is feasible. J Interv Cardiol. 2008;21:385-7.

13. Antov S, Kedev S. Transradial approach as first choice for stenting of chronic total occlusion of iliac and femoral superficial artery. Prilozi. 2013;34:13-24.

14. Lorenzoni R, Lisi C, Corciu A, et al. Tailored use of transradial access for above-the-knee angioplasty. J Endovasc Ther. 2014;21:635-40.

15. Staniloae CS, Korabathina R, Coppola JT. Transradial access for peripheral vascular interventions. Catheter Cardiovasc Interv, 2013; 81:1194-203.

11

CHAPTER

요골동맥 접근의 새로운 장비

New Device for Transradial Access

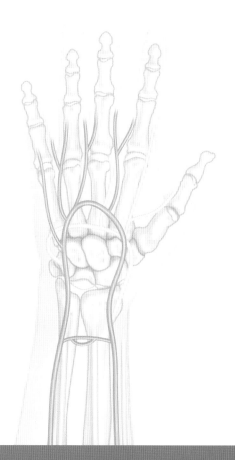

요골동맥 접근의 새로운 장비
New Device for Transradial Access

중앙대학교병원 원호연
중앙대학교병원 이왕수

1 무유도초 기술(Sheathless technique)

경요골동맥 시술 초기인 1940년대부터 절개법을 이용하여 도관을 삽입하는 무유도초 기술(Sheathless technique)이 시작되었으나, 셀딩거법을 이용한 대퇴동맥 접근법과 유도초가 도입된 이후에는 무유도초 기술이 점차 사라졌다. 그러나, 최근 유도초를 사용한 경요골 접근법의 시대에서는 요골동맥 혈관 직경이 충분히 크지 않기 때문에 복합 중재 시술 시에 필요한 내경이 큰 카테터를 사용하기에는 한계가 있어서 무유도초 기술이 다시 관심의 대상이 되었다.

국내 연구에서는 75%의 환자에서 요골동맥의 내경이 7Fr 유도초의 외경보다 작다고 보고되었으며, 일본 연구에서는 6Fr 유도초의 직경보다 요골동맥이 작은 사람들이 여자의 27.4%, 남자의 14.3%로 보고되었다.[1,2] 유도초의 외경은 거의 대부분 같은 French의 가이딩 카테터의 외경보다 2Fr가 더 크다. 예를 들면, 6Fr 유도초의 직경이 2.61 mm이면, 6Fr의 카테터 외경은 2 mm이다. 따라서 유도초을 사용하지 않는 무유도초 기술은 좀 더 내경이 큰 가이딩 카테터를 사용할 수 있어, 복합 병변 시술 시에 새로운 대안으로 떠올랐다.

1) 상품화된 무유도초 가이딩 카테터

상품화된 무유도초 가이딩 카테터(Eaucath, Asahi Intecc, 일본)는 6.5Fr, 7.5Fr 2가지로 외경이 각각 2.16 mm, 2.49 mm이다. 외경으로 비교하면 6.5Fr 무유도초 가이딩 카테터는 5Fr

유도초보다 작고, 7.5Fr 가이딩 카테터는 6Fr 유도초의 외경보다 작다(그림 1). 국내에서 대부분의 경요골동맥 중재시술시에 6Fr 이하의 유도초를 사용하는 것을 고려하면, 1~2Fr 이상 큰 카테터를 사용할 수 있어, 점차 만성 폐색 병변이나 분지 병변 등 복합 시술이 증가되고 있는 추세를 볼 때, 경요골동맥 접근법에서도 충분히 굵은 가이딩 카테터를 사용할 수 있는 장점이 있다.[3]

무유도초 가이딩 카테터는 일반 가이딩 카테터와는 다르게 확장기(dilator)가 있다. 확장기는 0.035" 가이드 와이어에 맞도록 설계되어 있으며, 가이딩 카테터 안에 넣어 조립한 후 근위부를 돌려서 잠근 후 확장기와 카테터가 밀리지 않도록 고정한 후에 혈관 안으로 들어간다(그림 2). 상행 대동맥에 도달하면, 확장기를 돌려 풀어서 카테터와 분리하여 제거한 후에, 일반 가이딩 카테터와 같이 관상동맥에 삽관한다. 그렇지 않으면 대동맥이나 대동맥 판막에 손상을 줄 수 있으므로 주의가 필요하다. 상품화된 무유도초 가이딩 카테터는 0.035" 가이드 와이어, 확장기, 가이딩 카테터가 부드럽게 연결되며, 혈관 안에서 전진할 때에 면도날 효과(Razor effect)가 있어 혈관 손상을 최소화할 수 있다. 또, 카테터 표면이 친수성 코팅 처리가 되어 있어 마찰력을 줄여 혈관 연축을 줄이고 전진이 부드럽게 된다. 반면에, 친수성 코팅으로 카테터를 조절할 때 미끄럽게 느껴질 수가 있다. 무유도초 가이딩 카테터는 천자 위치에 비해 근위부 요골동맥이나 상완 동맥이 작을 때, 덧 요골동맥으로의 천자나 알파루프같이 혈관이 꼬여 있어 일반적인 카테터의 삽입이 어려운 경우에 도움이 될 수 있다.

최근의 연구를 살펴보면, 프랑스에서 다기관 등록 연구에서 148명의 환자를 대상으로 6.5Fr 무유도초 가이딩 카테터를 사용한 관상동맥 중재 시술 결과를 발표하였다. 76%는 분지 병변을 키싱 풍선(Kissing balloon) 기술로 치료하였고, 6.1%는 회전 죽종제거술(Rotational Atherectomy), 6.7%는 만성 폐쇄 병변을 치료 하였다. 시술 성공률은 100%였고, 요골동맥 관련 합병증은 발생하지 않았다.[4] 일본의 단일 기관 연속 환자 등록 연구에서는, ST분절 상승 심근경색 환자 478명을 대상으로 무유도초 가이딩 카테터를 사용하여 치료한 결과를 분석하였는데, 99%에서 왼쪽 요골동맥으로 접근하여, 총 97.5%의 시술 성공률을 보여주었고, 문-풍선 시간의 중위수는 45분(15~317분)이었다. 요골동맥 협착과 폐색은 3.8% 환자에서 발생하였고, 박리는 1명, 가성동맥류는 1명, 심한 출혈은 1명이 발생했다.[5] 또 다른 최근 연구는, 입구나 분지부 병변이 있는 남자와 모든 여자 환자에서 기존의 가이딩 카테터와 무유도초 가이딩 카테터를 1:1 임의 배정하여 총 233명의 환자를 등록하였다. 시술 성공률은 96.6%와 97.4%

로 차이가 없었으나, 시술 부위 교차(Crossover)는 89.9%와 96.5%로 무유도초 가이딩 카테터가 더 우수하였다(p=0.047). 시술 시간 및 안전성 관련 종료점은 두군 간에 차이가 없었으나, 환자의 주관적인 팔 통증이 무유도초 가이딩 카테터에서 유의하게 낮게 관찰되었다. 국내에서 2011년에 25명의 환자를 대상으로 시행한 연구에서는, 평균 요골동맥 직경은 18.1±0.26 mm였으며, 시술 성공률은 93.1%명이었고, 카테터 관련 합병증은 관찰되지 않았다. 하지만 2명의 환자에서 삽관이 되지 않아 유도초를 삽입 후 일반 가이딩 카테터로 변경하였다고 보고하였다.[6] 큰 규모의 임의 배정 연구 결과는 없으나, 작은 규모의 연구들에서 무유도초 가이딩 카테터의 안전성 및 유효성은 인정 되었다.

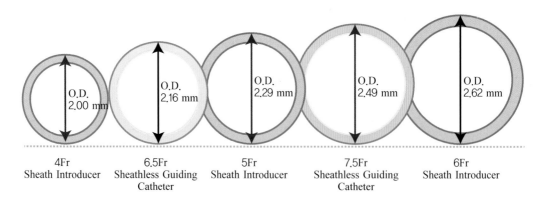

그림 1. 무유도관 가이딩 카테터와 유도관의 크기 비교

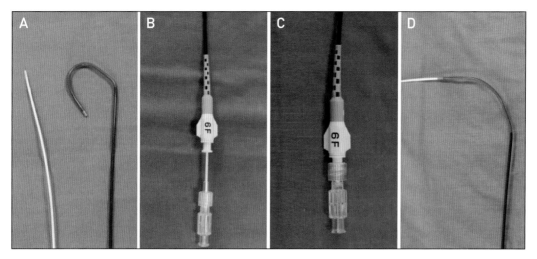

그림 2. A : 무유도초 가이딩 카테터 시스템. 확장기와 카테터
B,C : 확장기와 카테터를 겹합하여 잠근 사진
D : 확장기와 카테터를 겹합한 후 카테터 모양의 변화(윤영진 등, Korean Circ J 2011;41:143-148)

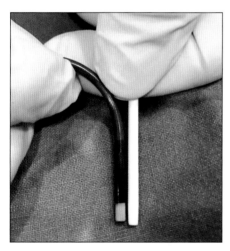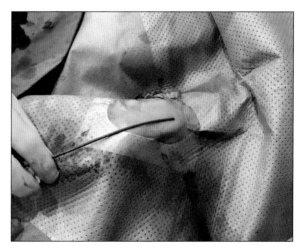

그림 3. 7.5Fr 무유도초 가이딩 카테터와 6Fr 요골동맥용 유도초의 크기 비교(왼쪽)
무유도초 가이딩 카테터의 삽입된 사진(오른쪽)

2) 자작(homemade) 무유도초 가이딩 카테터

① 내부 카테터 기술(Inner catheter technique)

상품으로 된 무유도초 가이딩 카테터가 항상 사용 가능한 것은 아니기 때문에, 자작 (homemade) 무유도초 가이딩 카테터를 사용하는 경우가 있다. 가장 대표적인 것이 내부 카테터 기술이다. 기존의 가이딩 카테터 안에 주로 4~5Fr의 카테터(내부 가이딩 카테터나 다목적 카테터(multipurpose catheter))를 넣어서 확장기 역할을 대신 하게 된다(그림 4). 유도초를 제거한 후 서서히 좁아지게(Pseudotaper) 만든 자작 조립 카테터를 0.035" 가이드 와이어를 따라서 밀어넣게 되며, 혈관내 손상을 최소화하게 되지만, 상품화된 무유도초 가이딩 카테터에 비해 확장기의 역할을 하는 것이 부드럽게 좁아지는 것이 아니고 단계적 으로 좁아지는(stepped tapering) 것이기 때문에, 혈관 손상의 가능성이 있다.

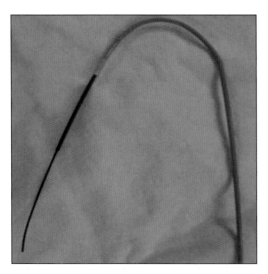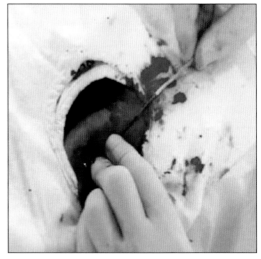

그림 4. 120cm, 5Fr Heartrail 카테터를 100cm 7.5Fr XB 3.5 가이딩 카테터 안에 삽입한 모습(좌)
유도초를 제거하고 조립된 카테터를 0.035" 가이드 와이어를 따라 넣는 모습(우)
(이내희 등, Korean circ J 2013;43:347-350)

② Balloon over 0.014 wire

관상동맥 풍선을 가이딩 카테터 앞에 나오게 한 후에 풍선을 약간 확장시키면 풍선이 확 장기 역할을 하여 서서히 좁아지게 만든(Pseudotapered) 카테터를 만든다. 내부 카테터 기 술 처럼 사용할 수 있으나, 0.014" 가이드 와이어를 이용해야 하며, 풍선을 미리 확장시 켜야 하는 단점이 있다.

③ 짧은 유도초 기술(Short sheath technique)

일반적으로 요골동맥 유도초를 끝까지 밀어 넣는데, 큰 유도초를 삽입할 때 환자 통증 및 혈관 연축을 유발할 수 있다. 짧은 유도초 기술 은 7Fr 유도초를 1cm 정도만 혈관 안에 삽입한 후에 7Fr 가이딩 카테터를 넣은 후 유도초를 제거하여 마치 무유도초 가이딩 카테터가 들어간 것과 같이 된다. 가이딩 카테터를 혈관 손상 없이 혈관 안에 전진 시키며, 좀 더 작은 직경의 카테터를 이용하며, 혈관 자극 및 연축을 줄일 수 있는 방법이다.

2 Stent on a wire

경요골동맥 접근법으로 중재술을 위해 무유도초 가이딩 카테터처럼 한정된 혈관 크기 한계 안에서 좀 더 내강을 크게 만들거나, 풍선이나 스텐트의 굵기를 가늘게 만드는 기술이 발전함에 따라 경요골동맥 접근법이 점차 널리 쓰이게 되었다. 기존의 스텐트는 0.014″ 가이드 와이어를 먼저 넣은 후에 철선을 따라서 스텐트를 넣게 되어 스텐트의 굵기를 줄이는데 한계가 있었다. Stent on a wire는 Inegrated Delivery System (IDS)라고 불리우기도 한다. 5Fr 가이딩 카테터에 호환되며, 미리 풍선 확장 없이 바로 스텐트 하기에 적합하도록 만들어졌다(그림 3). 대표적인 것은 Slender IDS (Svelte Medical Systems, New Providence, NJ, USA)로 81 ㎛ 굵기의 strut으로 코발트 크롬 합금 스텐트이며, 6 ㎛ 두께의 생분해성 복합체가 있는 시롤리무스 용출 스텐트이다. 0.012″ 플래티넘−이리듐 코일 철선과 스텐트 및 풍선이 한 개의 카테터로 만들어져 있으며, 스텐트는 0.029″ (0.74 mm)의 굵기로 카테터 길이는 총 145 cm이다. 2016년 CE 마크를 획득하였다. 스텐트 프로파일은 좋으나 Stent on a wire는 0.014″ 가이드 와이어와 결합되어 있기 때문에 Direct Stenting에 적합하여, 스텐트 전 풍선 확장과 스텐트 후 풍선 확장을 대부분 시행하는 우리나라 실정에는 사용하기 어려운 면이 있다.

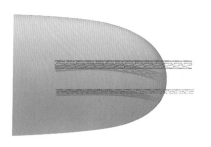

그림 5. Slender IDS 스텐트와 일반 스텐트의 비교

참고문헌

1. Yoo BS, Yoon J, Ko JY, et al. Anatomical consideration of the radial artery for transradial coronary procedures: arterial diameter, branching anomaly and vessel tortuosity, Int J Cardiol, 2005;101:421-7

2. Saito S, Ikei H, Hosokawa G, et al. Influence of the ratio between radial artery inner diameter and sheath outer diameter on radial artery flow after transradial coronary intervention, Catheter Cardiovasc Interv, 1999;46:173-8

3. Youn YJ, Lee JW, Ahn SG, et al. Current practive of transradial coronary angiography and intervention: Results from the Korean Transraddial Intervention Prospective Registry, Korean Circ J, 2015;45:457-68

4. Cheaito R, Benamer H, Hovasse T, et al, Feasibility and safety of transradial coronary interventions using a 6.5-F sheathless guiding catheter in patients with small radial arteries, Catheter Cardiovasc Interv, 2015;86:51-8

5. Miyasaka M, Tada N, Kato S, et al. Sheathless guide catheter in transradial percutaneous coronary intervention for ST-segment elevation myocardial infarction, Catheter Cardiovasc Interv, 2016;87:1111-7

6. Youn YJ, Yoon J, Han SW, et al. Feasibility of transradial coronary intervention using a sheathless guiding catheter in patients with small radial artery, Korean Circ J, 2011;41:143-8